博雅对外汉语精品教材
短期强化口语教材系列

D1193300

第四版
4th Edition

汉语会话

301句 上册

Conversational Chinese 301

（Volume 1）

英文注释本
English-Chinese Version

康玉华　来思平　编著
By Kang Yuhua & Lai Siping

北京大学出版社
PEKING UNIVERSITY PRESS

图书在版编目(CIP)数据

汉语会话301句：第4版英文注释本.上册 / 康玉华，来思平编著.—北京：北京大学出版社，2015.6

（博雅对外汉语精品教材）

ISBN 978-7-301-25651-0

Ⅰ.①汉…　Ⅱ.①康…②来…　Ⅲ.①汉语－口语–对外汉语教学－教材　Ⅳ.①H195.4

中国版本图书馆CIP数据核字(2015)第067968号

书　　　名	汉语会话301句（第四版）（英文注释本）·上册
著作责任者	康玉华　来思平　编著
责任编辑	周　鹏
标准书号	ISBN 978-7-301-25651-0
出版发行	北京大学出版社
地　　　址	北京市海淀区成府路205号　100871
网　　　址	http://www.pup.cn　新浪微博：@北京大学出版社
电子信箱	zpup@pup.cn
电　　　话	邮购部62752015　发行部62750672　编辑部62752028
印刷者	北京大学印刷厂
经销者	新华书店

787毫米×1092毫米　16开本　13.25印张　208千字

2015年6月第1版　2017年12月第3次印刷

定　　　价　　38.00元

第四版出版说明

  《汉语会话301句》堪称当今全球最畅销的对外汉语经典教材。本教材由北京语言学院康玉华、来思平两位教师编写，北京语言学院出版社1990年出版，1998年修订再版，2005年出版第三版，译有近十种外语注释的版本，25年来总销量超过百万册。本版为第四版，经过编者和北京大学出版社汉语及语言学编辑部精心修订，由北京大学出版社出版。

  第四版修订的主要是两方面的内容。第一，在不改动原有语言点顺序的前提下，改编内容过时的课文，更换能反映当下社会生活的内容，如增加"高铁""快递""微信"等词语；第二，教学内容的编排精益求精，生词的设置和翻译更加精细，语言点注释更加完善。经过这次修订，《汉语会话301句》这套经典教材又焕发出了新的活力。

  好教材是反复修订出来的。在当今对外汉语教材空前繁荣的局面下，经典教材的修订反而愈加凸显其标杆意义。自1990年初版以来，《汉语会话301句》通过不断的自我更新，见证了对外汉语教学事业从兴旺走向辉煌的历程，并且成为潮头的夺目浪花。作为出版人，我有幸主持了本教材全部的三次修订。此次修订融进了最新教学研究理念和教材编写思想，改动最大，质量最高。我们相信，我们为对外汉语教师提供的是最好教的教材，也是外国学生最好用的教材。

北京大学出版社

汉语及语言学编辑部

王飙

2015年4月

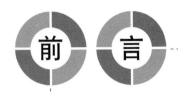

前言

　　《汉语会话301句》是为初学汉语的外国人编写的速成教材。

　　全书共40课，另有复习课8课。40课内容包括"问候""相识"等交际功能项目近30个、生词800个左右以及汉语基本语法。每课分句子、会话、替换与扩展、生词、语法、练习等六部分。

　　本书注重培养初学者运用汉语进行交际的能力，采用交际功能与语法结构相结合的方法编写。全书将现代汉语中最常用、最基本的部分通过生活中常见的语境展现出来，使学习者能较快地掌握基本会话301句，并在此基础上通过替换与扩展练习，达到能与中国人进行简单交际的目的，为进一步学习打下良好的基础。

　　考虑到成年人学习的特点，对基础阶段的语法部分，本书用通俗易懂的语言，加上浅显明了的例句作简明扼要的解释，使学习者能用语法规律来指导自己的语言实践，从而起到举一反三的作用。

　　本书练习项目多样，练习量也较大。复习课注意进一步训练学生会话与成段表达，对所学的语法进行归纳总结。各课的练习和复习课可根据实际情况全部或部分使用。

编者

1989年3月

PREFACE

Conversational Chinese 301 is intended to be an intensive course book for foreigners who have just started to learn Chinese.

This book consists of 40 lessons and 8 reviews. The 40 lessons encompass nearly 30 communicative functions such as "Greetings" and "Making an Acquaintance", about 800 new words and the fundamentals of Chinese grammar. Each lesson is divided into six parts: Sentences, Conversation, Substitution and Extension, New Words, Grammar (Phonetics in first three lessons), and Exercises.

This book lays emphasis on improving the ability of the learner to use Chinese for communication. It integrates the communicative function with the grammatical structure and presents the most essential and useful part of the language in the linguistic environments one is usually exposed to in daily life, so as to enable the learner to master the 301 basic conversational sentences fairly quickly, and on that basis, through "Substitution and Extension" practice, to acquire the ability to carry on simple conversations with the Chinese. In this way, the book will also help lay a solid foundation for further study.

In view of the characteristics of language learning of the adult, we use not only easy-to-understand language, but also simple grammar. All this will help him use the grammatical rules to guide his own language practice and draw inferences about other cases from one instance.

The exercises are varied and plentiful. The reviews give due attention to improving the conversational and narrative skills of the learner, as well as systematically summarizing the grammar points covered. The exercises in each lesson and the reviews may be used in totality or in part, according to actual circumstances.

The Compilers
March, 1989

简称表 Abbreviations

1	名	名词	míngcí	noun
2	代	代词	dàicí	pronoun
3	动	动词	dòngcí	verb
4	能愿	能愿动词	néngyuàn dòngcí	modal verb
5	形	形容词	xíngróngcí	adjective
6	数	数词	shùcí	numeral
7	量	量词	liàngcí	measure word
8	数量	数量词	shùliàngcí	quantifier
9	副	副词	fùcí	adverb
10	介	介词	jiècí	preposition
11	连	连词	liáncí	conjunction
12	助	助词 zhùcí	动态助词	dòngtài zhùcí	aspect particle
			结构助词	jiégòu zhùcí	structural particle
			语气助词	yǔqì zhùcí	modal particle
13	叹	叹词	tàncí	interjection
14	拟声	拟声词	nǐshēngcí	onomatopoeia
15	头	词头	cítóu	prefix
16	尾	词尾	cíwěi	suffix

CONTENTS 目录

wènhòu
问候（1）
GREETINGS

01　你好

HOW DO YOU DO

一　句　子　Sentences

001 | 你好！① How do you do?
Nǐ hǎo!

002 | 你好吗？② How are you?
Nǐ hǎo ma?

003 | （我）很好。 (I'm) Fine.
(Wǒ)　Hěn hǎo.

004 | 我也很好。 I am fine, too.
Wǒ yě hěn hǎo.

二　会　话　Conversations

1

大卫：玛丽，你好！
Dàwèi: Mǎlì,　nǐ hǎo!

玛丽：你好，大卫！
Mǎlì: Nǐ hǎo,　Dàwèi!

2

王兰: 你好吗？
Wáng Lán: Nǐ hǎo ma?

刘京: 我 很 好 。 你 好 吗？
Liú Jīng: Wǒ hěn hǎo. Nǐ hǎo ma?

王兰: 我 也 很 好 。
Wáng Lán: Wǒ yě hěn hǎo.

注释　Notes

❶ 你好!　Hello! / Hi!

日常问候语。任何时间、任何场合以及任何身份的人都可以使用。对方的回答也应是"你好"。

It is an everyday greeting and is used at any time, on any occasion and by a person of any social status. The reply should also be "你好".

❷ 你好吗？　How are you?

常用问候语。回答一般是"我很好"等套语。一般用于已经相识的人之间。

It is an everyday greeting and is usually used between acquaintances. A polite expression such as "我很好" can be used as a reply.

 替换与扩展 **Substitution and Extension**

● 替换 Substitution

（1）你好! 　　〉〉《《 　　你们

（2）你好吗? 　　〉〉《《 　　你们　她　他　他们

扩展 Extension

（1）A：你们好吗?
Nǐmen hǎo ma?

B：我们都很好。
Wǒmen dōu hěn háo.

A：你好吗?
Nǐ hǎo ma?

B：我也很好。
Wǒ yě hěn hǎo.

（2）A：你来吗?
Nǐ lái ma?

B：我来。
Wǒ lái.

A：爸爸、妈妈来吗?
Bàba、 māma lái ma?

B：他们都来。
Tāmen dōu lái.

四 生词 New Words

1	你好	nǐ hǎo		Hello!
2	你	nǐ	代	you (*single*)
3	好	hǎo	形	well, fine
4	吗	ma	助	*used at the end of a question*
5	我	wǒ	代	I, me
6	很	hěn	副	very
7	也	yě	副	also, too
8	你们	nǐmen	代	you (*plural*)
9	她	tā	代	she, her
10	他	tā	代	he, him
11	他们	tāmen	代	they, them
12	我们	wǒmen	代	we, us

13	都	dōu	副	all
14	来	lái	动	to come
15	爸爸	bàba	名	father, dad
16	妈妈	māma	名	mother, mum

📍 专名 Proper Nouns

1	大卫	Dàwèi	David (*name of a person*)
2	玛丽	Mǎlì	Mary (*name of a person*)
3	王兰	Wáng Lán	Wang Lan (*name of a person*)
4	刘京	Liú Jīng	Liu Jing (*name of a person*)

五 语 音 Phonetics

1. 声母、韵母（1） Initials and finals (1)

声母 initials	b	p	m	f
	d	t	n	l
	g	k	h	

韵母 finals	a	o	e	i	u	ü
	ai	ei	ao	ou		
	en	ie	uo			
	an	ang	ing	iou (iu)		

2. 拼音（1） Phonetic alphabet (1)

	a	o	e	ai	ei	ao	ou	an	en	ang
b	ba	bo		bai	bei	bao		ban	ben	bang
p	pa	po		pai	pei	pao	pou	pan	pen	pang
m	ma	mo	me	mai	mei	mao	mou	man	men	mang
f	fa	fo			fei		fou	fan	fen	fang
d	da		de	dai	dei	dao	dou	dan	den	dang
t	ta		te	tai	tei	tao	tou	tan		tang
n	na		ne	nai	nei	nao	nou	nan	nen	nang
l	la		le	lai	lei	lao	lou	lan		lang
g	ga		ge	gai	gei	gao	gou	gan	gen	gang
k	ka		ke	kai	kei	kao	kou	kan	ken	kang
h	ha		he	hai	hei	hao	hou	han	hen	hang

3. 声调 Tones

汉语是有声调的语言。汉语语音有四个基本声调，分别用声调符号"ˉ"（第一声）、"ˊ"（第二声）、"ˇ"（第三声）、"ˋ"（第四声）表示。

Chinese is a tone language. It has four basic tones, which are indicated respectively by the tone graphs: "ˉ" (the first tone), "ˊ" (the second tone), "ˇ" (the third tone) and "ˋ" (the fourth tone).

声调有区别意义的作用。例如，mā（妈）、má（麻）、mǎ（马）、mà（骂），声调不同，意思也不同。

The tones are used to distinguish meanings of a syllable. Different tones have different meanings, e.g. mā (mother), má (hemp), mǎ (horse), mà (to curse).

当一个音节只有一个元音时，声调符号标在元音上（元音 i 上有调号时要去掉 i 上的点儿，例如：nǐ）。一个音节的韵母有两个或两个以上的元音时，声调符号要标在主要元音上。例如：lái。

When there is only one vowel in a syllable, the tone-graph is put above the vowel (if the graph is above the vowel i, the dot of i is omitted, e.g. nǐ). When there are two or more than two vowels in the final of a syllable, the tone-graph falls on the main vowel, e.g. lái.

声调示意图 Diagram of tones

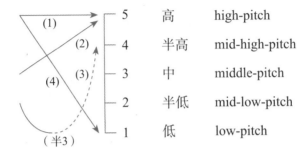

5	高	high-pitch
4	半高	mid-high-pitch
3	中	middle-pitch
2	半低	mid-low-pitch
1	低	low-pitch

ˉ 第一声 1st tone　　ˊ 第二声 2nd tone　　ˇ 第三声 3rd tone　　ˋ 第四声 4th tone

4. 轻声　Neutral tone

　　普通话里有一些音节读得又轻又短，叫作轻声。书写时轻声不标调号。例如：bàba（爸爸）、tāmen（他们）。

In Common Speech, some syllables are pronounced both light and short. Such a tone is called the neutral tone, which lacks a tone-graph representation in writing, e.g. bàba (father), tāmen (they).

5. 变调　Change of tones

　　（1）两个第三声音节连在一起时，前一个音节变为第二声（调号仍用"ˇ"）。例如，"你好 nǐ hǎo"的实际读音为"ní hǎo"。

When two 3rd tones come together, the first one changes into the 2nd tone (but its tone-graph remains "ˇ"), e.g. "你好 nǐ hǎo" (How are you) is actually pronounced as "ní hǎo".

　　（2）第三声音节在第一、二、四声和大部分轻声音节前边时，要变成"半三声"。半三声就是只读原来第三声的前一半降调。例如：nǐmen（你们）→ nǐmen。

When a syllable in the 3rd tone precedes a syllable in the 1st, 2nd, 4th tone or most of the neutral tone, it is pronounced in the half 3rd tone, that is, the tone only falls but doesn't rise, e.g. nǐmen（你们）→ nǐmen.

6. 拼写说明（1）　Notes on spelling (1)

　　以 i 或 u 开头的韵母，前面没有声母时，必须把 i 改写为 y，把 u 改写为 w。例如：ie → ye, uo → wo.

Finals beginning with i or u, when not preceded by any initials, should be changed respectively into y and w, e.g. ie → ye, uo → wo.

六 练 习 Exercises

1. 完成对话 Complete the following conversations

（1）A：你好！

　　B：＿＿＿＿＿＿＿＿＿＿＿＿＿＿！

　　A：他好吗？

　　B：＿＿＿＿＿＿＿＿＿＿＿。

（2）A、B：你好！

　　C：＿＿＿＿＿＿＿＿＿＿＿＿＿！

（3）玛丽：你好吗？

　　王兰：＿＿＿＿＿＿＿＿＿＿＿＿。你好吗？

　　玛丽：＿＿＿＿＿＿＿＿＿＿＿＿。刘京好吗？

　　王兰：＿＿＿＿＿＿＿。我们＿＿＿＿＿＿＿。

2. 情景会话 Situational dialogues

（1）你和同学见面，互相问候。
You meet and greet your classmates.

（2）你去朋友家，见到他/她的爸爸、妈妈，向他们问候。
On a visit to your friend's home, you meet and greet his/her father and mother.

3. 在课堂上，同学、老师互相问候 A teacher and his students greet each other in class

4. 语音练习 Phonetic drills 💿

> **(1)** 辨音 Discrimination of sounds
>
> | bā（八） | pā（啪） | dā（搭） | tā（他） |
> |---|---|---|---|
> | gòu（够） | kòu（扣） | bái（白） | pái（排） |
> | dào（到） | tào（套） | gǎi（改） | kǎi（凯） |

> **(2)** 轻声 Neutral tone
>
> | tóufa （头发） | nàme （那么） |
> |---|---|
> | hēi de （黑的） | gēge （哥哥） |
> | lái ba （来吧） | mèimei （妹妹） |

> **(3)** 变调 Change of tones
>
> | bǔkǎo （补考） | hěn hǎo （很好） |
> |---|---|
> | dǎ dǎo （打倒） | fěnbǐ （粉笔） |
> | měihǎo （美好） | wǔdǎo （舞蹈） |
> | nǐ lái （你来） | hěn lèi （很累） |
> | měilì （美丽） | hǎiwèi （海味） |
> | hěn hēi （很黑） | nǎ ge （哪个） |

02 你身体好吗

HOW ARE YOU

一 句 子 Sentences

005 | 你早！① Good morning!
Nǐ zǎo!

006 | 你身体好吗？ How are you?
Nǐ shēntǐ hǎo ma?

007 | 谢谢！ Thanks!
Xièxie!

008 | 再见！ Good-bye!
Zàijiàn!

二 会 话 Conversations

1

李老师：你早！
Lǐ lǎoshī: Nǐ zǎo!

王老师： **你早！**
Wáng lǎoshī： Nǐ zǎo!

李老师： **你身体好吗？**
Lǐ lǎoshī： Nǐ shēntǐ hǎo ma?

王老师： **很好。谢谢！**
Wáng lǎoshī： Hěn hǎo. Xièxie!

2

张老师： **你们好吗？**
Zhāng lǎoshī： Nǐmen hǎo ma?

王兰： **我们都很好。**
Wáng Lán： Wǒmen dōu hěn hǎo.

您②身体好吗？
Nín shēntǐ hǎo ma?

张老师： **也很好。再见！**
Zhāng lǎoshī： Yě hěn hǎo. Zàijiàn!

刘京： **再见！**
Liú Jīng： Zàijiàn!

注释　Notes

❶ 你早！ Good morning!

问候语，只在早上见面时说。

It is an everyday greeting that is used only when people meet each other in the morning.

❷ 您 (The respectful form of "你")

第二人称代词"你"的尊称。通常用于老年人或长辈。为了表示礼貌，对同辈人，特别是初次见面时，也可用"您"。

It is a respectful form of the second person pronoun "你". It is normally reserved for old people or elders. To show politeness, one may extend its use to people of his own generation, especially at the first meeting.

替换与扩展 **Substitution and Extension**

替换 Substitution

（1）你早！ ≫ ≪　　您　你们　张老师　李老师

（2）你身体好吗？ ≫ ≪　他　你们　他们　王老师　张老师

扩展 Extension

（1）五号　　　　　八号　　　　　九号
wǔ hào　　　　bā hào　　　　jiǔ hào

十四号　　　　二十七号　　　　三十一号
shísì hào　　　èrshíqī hào　　sānshíyī hào

（2）A：今天六号。李老师来吗？
Jīntiān liù hào. Lǐ lǎoshī lái ma?

B：她来。
Tā lái.

四 生词 New Words

1	早	zǎo	形	early
2	身体	shēntǐ	名	body
3	谢谢	xièxie	动	to thank

4	再见	zàijiàn	动	to say good-bye
5	老师	lǎoshī	名	teacher
6	您	nín	代	you (*respectful*)
7	一	yī	数	one
8	二	èr	数	two
9	三	sān	数	three
10	四	sì	数	four
11	五	wǔ	数	five
12	六	liù	数	six
13	七	qī	数	seven
14	八	bā	数	eight
15	九	jiǔ	数	nine
16	十	shí	数	ten
17	号（日）	hào (rì)	量	date
18	今天	jīntiān	名	today

专名 Proper Nouns

1	李	Lǐ	Li (*surname*)
2	王	Wáng	Wang (*surname*)
3	张	Zhāng	Zhang (*surname*)

五 语 音 Phonetics

1. 声母、韵母（2） Initials and finals (2)

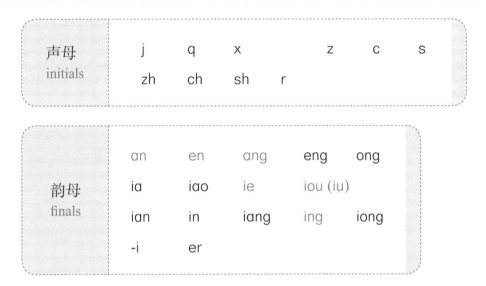

| 声母 initials | j q x | z c s |
| | zh ch sh r | |

韵母 finals	an en ang eng ong
	ia iao ie iou (iu)
	ian in iang ing iong
	-i er

2. 拼音（2） Phonetic alphabet (2)

	i	ia	iao	ie	iou (iu)	ian	in	iang	ing	iong
j	ji	jia	jiao	jie	jiu	jian	jin	jiang	jing	jiong
q	qi	qia	qiao	qie	qiu	qian	qin	qiang	qing	qiong
x	xi	xia	xiao	xie	xiu	xian	xin	xiang	xing	xiong

	a	e	-i	ai	ei	ao	ou	an	en	ang	eng	ong
z	za	ze	zi	zai	zei	zao	zou	zan	zen	zang	zeng	zong
c	ca	ce	ci	cai		cao	cou	can	cen	cang	ceng	cong
s	sa	se	si	sai		sao	sou	san	sen	sang	seng	song
zh	zha	zhe	zhi	zhai	zhei	zhao	zhou	zhan	zhen	zhang	zheng	zhong
ch	cha	che	chi	chai		chao	chou	chan	chen	chang	cheng	chong
sh	sha	she	shi	shai	shei	shao	shou	shan	shen	shang	sheng	
r		re	ri			rao	rou	ran	ren	rang	reng	rong

3. 拼写说明（2） Notes on spelling (2)

（1）韵母 i 或 u 自成音节时，前边分别加 y 或 w。例如：i → yi，u → wu。

When the finals i and u form syllables by themselves, they are preceded respectively by y and w, e.g. i → yi，u → wu.

（2）-i 代表 z、c、s 后的舌尖前元音 [ɿ]，也代表 zh、ch、sh、r 后的舌尖后元音 [ʅ]。在读 zi、ci、si 或 zhi、chi、shi、ri 时，不要把 -i 读成 [i]。

-i represents not only the blade-alveolar vowel [ɿ] after z, c, s, but also the blade-palatal vowel [ʅ] after zh, ch, sh, r. In zi, ci, si, or zhi, chi, shi, ri, -i should not be articulated as [i].

（3）iou 在跟声母相拼时，中间的元音 o 省略，写成 iu。调号标在后一元音上。例如：jiǔ（九）。

When iou follows an initial, the vowel o in the middle should be omitted and thus be written as iu. The tone-graph is put above the last vowel, e.g. jiǔ (nine).

六 练 习 Exercises

1. 完成对话 Complete the following conversations

（1）A、B：老师，_____！

老师：_____！

（2）大卫：刘京，你身体_____？

刘京：_____，谢谢！

大卫：王兰也好吗？

刘京：_____。我们_____。

（3）王兰：妈妈，您身体好吗？

妈妈：_____。

王兰：爸爸_____？

妈妈：他也很好。

2. 熟读下列短语　Read up on the following expressions

也来 都来 再来	很好 也很好 都很好	谢谢你 谢谢您 谢谢你们 谢谢老师	老师再见 王兰再见 爸爸、妈妈再见

3. 情景会话　Situational dialogues

（1）两人互相问候并问候对方的爸爸、妈妈。

Two people greet each other and inquire after each other's parents.

（2）同学们和老师见面，互相问候（同学和同学，同学和老师；一个人和几个人，几个人和另外几个人）。

A teacher meets his students. They greet one another (More specifically, the students greet one another, the students greet the teacher, one person greets several other persons and one group greets another).

4. 语音练习　Phonetic drills

(1) 辨音　Discrimination of sounds

shāngliang （商量）	——	xiǎngliàng （响亮）
jīxīn （鸡心）	——	zhīxīn （知心）
zájì （杂技）	——	zázhì （杂志）
dà xǐ （大喜）	——	dàshǐ （大使）
bù jí （不急）	——	bù zhí （不直）
xīshēng （牺牲）	——	shīshēng （师生）

(2) 辨调　Discrimination of tones

bā kē	（八棵）	——	bà kè	（罢课）
bùgào	（布告）	——	bù gāo	（不高）
qiān xiàn	（牵线）	——	qiánxiàn	（前线）
xiǎojiě	（小姐）	——	xiǎo jiē	（小街）
jiàoshì	（教室）	——	jiàoshī	（教师）

(3) 读下列词语　Read the following words

zǒu lù	（走路）	chūfā	（出发）
shōurù	（收入）	liànxí	（练习）
yǎn xì	（演戏）	sùshè	（宿舍）

wènhòu
问候（3）
GREETINGS

03 你工作忙吗

ARE YOU BUSY WITH YOUR WORK

一 句 子 Sentences

009 | 你 工 作 忙 吗？ Are you busy with your work?
Nǐ gōngzuò máng ma?

010 | 很 忙 ， 你 呢？① Yes, very much. And you?
Hěn máng, nǐ ne?

011 | 我 不 太 忙。 I am not very busy.
Wǒ bú tài máng.

012 | 你 爸 爸、 妈 妈 身 体 好 吗？
Nǐ bàba、 māma shēntǐ hǎo ma?
How are your father and mother?

二 会 话 Conversations

1

李老师：你好！
Lǐ lǎoshī: Nǐ hǎo!

张老师：你好！
Zhāng lǎoshī: Nǐ hǎo!

李老师： 你 工 作 忙 吗？
Lǐ lǎoshī： Nǐ gōngzuò máng ma?

张老师： 很 忙，你 呢？
Zhāng lǎoshī： Hěn máng, nǐ ne?

李老师： 我 不 太 忙。
Lǐ lǎoshī： Wǒ bú tài máng.

2

大卫： 老师，您早！
Dàwèi： Lǎoshī, nín zǎo!

玛丽： 老师好！
Mǎlì： Lǎoshī hǎo!

张老师： 你们好！
Zhāng lǎoshī： Nǐmen hǎo!

大卫： 老 师 忙 吗？
Dàwèi： Lǎoshī máng ma?

张老师： 很 忙，你 们 呢？
Zhāng lǎoshī： Hěn máng, nǐmen ne?

大卫： 我 不 忙。
Dàwèi： Wǒ bù máng.

玛丽： 我 也 不 忙。
Mǎlì： Wǒ yě bù máng.

3

王兰： 刘 京，你 好！
Wáng Lán： Liú Jīng, nǐ hǎo!

刘京： 你 好！
Liú Jīng： Nǐ hǎo!

王兰: 你爸爸、妈妈身体好吗？
Wáng Lán: Nǐ bàba、 māma shēntǐ hǎo ma?

刘京: 他们都很好。谢谢！
Liú Jīng: Tāmen dōu hěn hǎo. Xièxie!

注释　Note

❶ 你呢？ What about you?

承接上面的话题提出问题。例如："我很忙，你呢？"意思是："你忙吗？""我身体很好，你呢？"意思是："你身体好吗？"

It is a question asked in connection with the preceding topic, e.g. "我很忙，你呢？"which means "Are you busy?", "我身体很好，你呢？"which means "How are you?"

 替换与扩展 Substitution and Extension

📍 替换 Substitution

（1）老师<u>忙</u>吗？　　　　　➤➤◀◀　　　好　　累

（2）A：你<u>爸爸、妈妈</u>身体好吗？　➤➤◀◀　哥哥、姐姐
　　　B：他们都很好。　　　　　　　　　弟弟、妹妹

📍 扩展 Extension

（1）一月	二月	六月	十二月
yīyuè	èryuè	liùyuè	shí'èryuè

（2）今 天 十 月 三 十 一 号。
Jīntiān shíyuè sānshíyī hào.

明天十一月一号。
Míngtiān shíyīyuè yī hào.

今年二〇一五年，明年二〇一六年。
Jīnnián èr líng yī wǔ nián, míngnián èr líng yī liù nián.

 生 词 New Words

1	工作	gōngzuò	动/名	to work; work
2	忙	máng	形	busy
3	呢	ne	助	*used at the end of a special, alternative, or rhetorical question to indicate a question*
4	不	bù	副	not, no
5	太	tài	副	very, extremely
6	累	lèi	形	tired, worn out
7	哥哥	gēge	名	elder brother
8	姐姐	jiějie	名	elder sister
9	弟弟	dìdi	名	younger brother
10	妹妹	mèimei	名	younger sister
11	月	yuè	名	moon, month
12	明天	míngtiān	名	tomorrow
13	今年	jīnnián	名	this year
14	〇（零）	líng	数	zero
15	年	nián	名	year
16	明年	míngnián	名	next year

五 语 音 Phonetics

1. 声母、韵母（3） Initials and finals (3)

韵母 finals	ua　uo　uai　uei (ui)　uan　uen (un)　uang　ueng üe　üan　ün

2. 拼音（3） Phonetic alphabet (3)

	u	ua	uo	uai	uei (ui)	uan	uen (un)	uang
d	du		duo		dui	duan	dun	
t	tu		tuo		tui	tuan	tun	
n	nu		nuo			nuan		
l	lu		luo			luan	lun	
z	zu		zuo		zui	zuan	zun	
c	cu		cuo		cui	cuan	cun	
s	su		suo		sui	suan	sun	
zh	zhu	zhua	zhuo	zhuai	zhui	zhuan	zhun	zhuang
ch	chu	chua	chuo	chuai	chui	chuan	chun	chuang
sh	shu	shua	shuo	shuai	shui	shuan	shun	shuang
r	ru	rua	ruo		rui	ruan	run	
g	gu	gua	guo	guai	gui	guan	gun	guang
k	ku	kua	kuo	kuai	kui	kuan	kun	kuang
h	hu	hua	huo	huai	hui	huan	hun	huang

	ü	üe	üan	ün
n	nü	nüe		
l	lü	lüe		
j	ju	jue	juan	jun
q	qu	que	quan	qun
x	xu	xue	xuan	xun

3. 拼写说明（3） Notes on spelling (3)

（1）ü 自成音节或在一个音节开头时写成 yu。例如：Hànyǔ（汉语）、yuànzi（院子）。

ü will be written as yu when it forms a syllable by itself or appears at the beginning of a syllable, e.g. Hànyǔ (Chinese), yuànzi (courtyard).

（2）j、q、x 与 ü 及以 ü 开头的韵母相拼时，ü 上的两点省略。例如：jùzi（句子）、xuéxí（学习）。

When j, q, x are put before ü and a final beginning with ü, the two dots in ü will be omitted, e. g. jùzi (sentence), xuéxí (to study).

（3）uei、uen 跟声母相拼时，中间的元音省略，写成 ui、un。例如：huí（回）、dūn（吨）。

When uei and uen follow initials, they change respectively into ui and un in writing. i.e., the vowel in the middle is deleted, e.g. huí (to return), dūn (ton).

4. "不""一"的变调 Change of tones of "不" and "一"

（1）"不" 在第四声音节前或由第四声变来的轻声音节前读第二声 bú，例如：bú xiè（不谢）、búshi（不是）；在第一、二、三声音节前仍读第四声 bù，例如：bù xīn（不新）、bù lái（不来）、bù hǎo（不好）。

"不" is pronounced in the 2nd tone (bú) before a syllable in the 4th tone or a syllable in the neutral tone reduced from the 4th tone, e.g. bú xiè (Not at all), búshi (fault). But "不" is still pronounced in the 4th tone (bù) when it precedes a syllable in the 1st, 2nd or 3rd tone, e.g. bù xīn (not new), bù lái (not to come), bù hǎo (not good).

（2）"一" 在第四声音节前或由第四声变来的轻声音节前读第二声 yí，例如：yí kuài（一块）、yí ge（一个）；在第一、二、三声音节前读第四声 yì，例如：yì tiān（一天）、yì nián（一年）、yìqǐ（一起）。

"一" is pronounced in the 2nd tone (yí) before a syllable in the 4th tone or a syllable in the neutral tone reduced from the 4th tone, e.g. yí kuài (a block/bar), yí ge (a piece). But "一" is pronounced in the 4th tone (yì) when it precedes a syllable in the 1st, 2nd or 3rd tone, e.g. yì tiān (a day), yì nián (a year), yìqǐ (together).

5. 儿化   Retroflexion with -r

er 常常跟其他韵母结合在一起，使该韵母成为儿化韵母。儿化韵母的写法是在原韵母之后加 -r。例如：wánr（玩儿）、huār（花儿）。

er is often added to another final to make it retroflexed. The retroflex final is transcribed by adding -r to the original final, e.g. wánr (to play), huār (flower).

6. 隔音符号   The dividing mark

a、o、e 开头的音节连接在其他音节后面时，为了使音节界限清楚，不致混淆，要用隔音符号 " ' " 隔开。例如：nǚ'ér（女儿）。

When a syllable beginning with a, o or e is attached to another syllable, it is desirable to use the dividing mark " ' " to clarify the boundary between the two syllables, e.g. nǚ'ér (daughter).

六 练 习 Exercises

1. 熟读下列短语并造句 Read up on the following expressions and make sentences

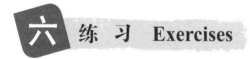

不好
不太好

都不忙
也很忙
都很忙

不累
不太累
都不累

2. 用所给词语完成对话 Complete the conversations with the given words

（1）A：今天你来吗？

B：_____。（来）

A：明天呢？

B：＿＿＿＿＿＿＿＿＿＿。（也）

（2）A：今天你累吗？

B：我不太累。＿＿＿＿＿＿？（呢）

A：我＿＿＿＿＿＿。（也）

B：明天你＿＿＿＿＿＿？（来）

A：＿＿＿＿＿＿。（不）

（3）A：你爸爸忙吗？

B：＿＿＿＿＿＿。（忙）

A：＿＿＿＿＿＿？（呢）

B：她也很忙。我爸爸、妈妈＿＿＿＿＿＿。（都）

3. 根据实际情况回答下列问题　Answer the following questions according to actual situations

（1）你身体好吗？

（2）你忙吗？

（3）今天你累吗？

（4）明天你来吗？

（5）你爸爸（妈妈、哥哥、姐姐……）身体好吗？

（6）他们忙吗？

4. 语音练习 Phonetic drills 🔘

---

(1) 辨音 Discrimination of sounds

zhǔxí （主席）	——	chūxí （出席）
shàng chē （上车）	——	shàngcè （上策）
shēngchǎn （生产）	——	zēngchǎn （增产）
huádòng （滑动）	——	huódòng （活动）
xīn qiáo （新桥）	——	xīn qiú （新球）
tuīxiāo （推销）	——	tuìxiū （退休）

---

(2) 辨调 Discrimination of tones

càizǐ （菜籽）	——	cáizǐ （才子）
tóngzhì （同志）	——	tǒngzhì （统治）
héshuǐ （河水）	——	hē shuǐ （喝水）
xìqǔ （戏曲）	——	xīqǔ （吸取）
huíyì （回忆）	——	huìyì （会议）

---

(3) er 和儿化韵 er and retroflex finals

értóng （儿童）	nǚ'ér （女儿）
ěrduo （耳朵）	èrshí （二十）

- -

yíhuìr （一会儿）	yìdiǎnr （一点儿）
yíxiàr （一下儿）	yǒudiǎnr （有点儿）
huār （花儿）	wánr （玩儿）
xiǎoháir （小孩儿）	bīnggùnr （冰混儿）

xiāngshí
相识（1）
MAKING AN
ACQUAINTANCE

04　您贵姓

MAY I KNOW YOUR NAME

一 句 子　Sentences 🔘

013 | 我 叫 玛 丽 。 I am Mary.
Wǒ jiào Mǎlì.

014 | 认 识 你 ， 我 很 高 兴 。 I am pleased to meet you.
Rènshi nǐ, wǒ hěn gāoxìng.

015 | 您 贵 姓 ？ ① May I know your name?
Nín guìxìng?

016 | 你 叫 什 么 名 字 ？ ② What's your name?
Nǐ jiào shénme míngzi?

017 | 她 姓 什 么 ？ ③ What's her family name?
Tā xìng shénme?

018 | 她 不 是 老 师 ， 她 是 学 生 。
Tā bú shì lǎoshī, tā shì xuésheng.
She is not a teacher. She is a student.

二 会 话 Conversations

1

玛丽：我 叫 玛丽，你 姓 什么？
Mǎlì:　Wǒ jiào　Mǎlì,　nǐ　xìng shénme?

王兰：我 姓 王，我 叫 王 兰。
Wáng Lán:　Wǒ xìng Wáng,　wǒ　jiào Wáng Lán.

玛丽：认 识 你，我 很 高 兴。
Mǎlì:　Rènshi nǐ,　wǒ hěn gāoxìng.

王兰：认 识 你，我 也 很 高 兴。
Wáng Lán:　Rènshi nǐ,　wǒ yě hěn gāoxìng.

2

大卫：老师，您 贵 姓？
Dàwèi:　Lǎoshī,　nín guìxìng?

张老师：我 姓 张。你 叫 什 么
Zhāng lǎoshī:　Wǒ xìng Zhāng. Nǐ　jiào　shénme

名 字？
míngzi?

大卫：我 叫 大 卫。她 姓 什 么？
Dàwèi:　Wǒ jiào　Dàwèi.　Tā xìng shénme?

张老师：她 姓 王。
Zhāng lǎoshī:　Tā xìng Wáng.

大卫：她 是 老 师 吗？
Dàwèi:　Tā shì lǎoshī ma?

张老师：她 不 是 老 师，她 是 学 生。
Zhāng lǎoshī:　Tā bú shì lǎoshī,　tā shì xuésheng.

> **注释 Notes**
>
> ❶ **您贵姓？** (May I know) Your name?
>
> "贵姓"是尊敬、客气地询问姓氏的方法。只用于第二人称。回答时要说"我姓……"，不能说"我贵姓……"。
>
> "贵姓" is a respectful and polite way of asking the name of a person. It is only used for asking the second person. The answer is not "我贵姓……", but "我姓……".
>
> ❷ **你叫什么名字？** What's your name?
>
> 也可以说："你叫什么？"用于长辈对晚辈，或者年轻人之间互相询问姓名。对长辈表示尊敬、客气时，不能用这种问法。
>
> One may also use "你叫什么？" It is used by elders when they want to know the names of young people or between young people. One shouldn't use it, therefore, when he wants to know an elder's name or when he needs to show respect and politeness to his hearer.
>
> ❸ **她姓什么？** What's her family name?
>
> 询问第三者姓氏时用。不能用"她贵姓"。
>
> It is used for asking the third person's name. One shouldn't say "她贵姓".

 替换与扩展 **Substitution and Extension**

📍 替换 Substitution

（1）我认识<u>你</u>。　　⟫ ⟪

他	玛丽	那个学生
他们老师		这个人

（2）A：她是<u>老师</u>吗？
　　B：她不是<u>老师</u>，　⟫ ⟪
　　　她是<u>学生</u>。

大夫	留学生
你妹妹	我朋友
你朋友	我哥哥

📍 扩展 Extension

A：我不认识那个人，她叫什么？
Wǒ bú rènshi nà ge rén, tā jiào shénme?

B：她叫玛丽。
Tā jiào Mǎlì.

A：她是美国人吗？
Tā shì Měiguó rén ma?

B：是，她是美国人。
Shì, tā shì Měiguó rén.

四 生 词 New Words 💿

1	叫	jiào	动	to call, to be known as...
2	认识	rènshi	动	to know
3	高兴	gāoxìng	形	glad
4	贵姓	guìxìng	名	(*polite*) your name
5	什么	shénme	代	what
6	名字	míngzi	名	name
7	姓	xìng	动/名	one's family name is...; surname
8	是	shì	动	to be
9	学生	xuésheng	名	student
10	那	nà	代	that
11	个	gè	量	*used before nouns without a special classifier of their own*
12	这	zhè	代	this

13	人	rén	名	person
14	大夫	dàifu	名	doctor
15	留学生	liúxuéshēng	名	foreign student
16	朋友	péngyou	名	friend

📍 专名 Proper Noun

| 美国 | Měiguó | the United States |

五 语 法 Grammar

1. 用"吗"的问句 Questions with "吗"

在陈述句末尾加上表示疑问语气的助词"吗"，就构成了一般疑问句。例如：

An interrogative sentence is formed by adding the modal particle "吗" at the end of a declarative sentence, e.g.

① 你好吗？ （第 1 课）　　② 你身体好吗？（第 2 课）

③ 你工作忙吗？（第 3 课）　　④ 她是老师吗？（第 4 课）

2. 用疑问代词的问句 Questions with interrogative pronouns

用疑问代词（"谁 shéi""什么""哪儿 nǎr"等）的问句，其词序跟陈述句一样。把陈述句中需要提问的部分改成疑问代词，就构成了疑问句。例如：

The word order of questions with interrogative pronouns ("谁 shéi", "什么", "哪儿 nǎr" and so on) is the same as that of the declarative sentence. Replacing the corresponding part (i.e., the part being questioned) of a declarative sentence with an interrogative pronoun will result in an interrogative sentence, e.g.

① 他姓什么？　　　　　② 你叫什么名字？

③ 谁（shéi）是大卫？　　④ 玛丽在哪儿（nǎr）？

3. 形容词谓语句　The sentence with an adjectival predicate

谓语的主要成分是形容词的句子，叫作形容词谓语句。例如：

A sentence with an adjective as the main element of its predicate is known as the sentence with an adjectival predicate, e.g.

① 他很忙。　　　　　　② 他不太高兴。

六　练习　Exercises

1. 完成对话　Complete the following conversations

（1）A：大夫，_____？

B：我姓张。

A：那个大夫_____？

B：他姓李。

（2）A：她_____？

B：是，她是我妹妹。

A：她_____？

B：她叫京京。

（3）A：_____？

B：是，我是留学生。

A：你忙吗？

B：_____。你呢?

A：_____。

（4）A：今天你高兴吗?

B：_____。你呢?

A：_____。

2. 情景会话 Situational dialogues

（1）你和一个中国朋友初次见面，互相问候，问姓名，表现出高兴的心情。
You meet a Chinese friend for the first time. You greet each other and ask each other's names with delight.

（2）你不认识弟弟的朋友，你向弟弟问他的姓名、身体和工作情况。
You do not know your younger brother's friend. You ask your brother about his name, health and work.

3. 听后复述 Listen and retell

　　我认识王英，她是学生。认识她我很高兴。她爸爸是大夫，妈妈是老师。他们身体都很好，工作也很忙。她妹妹也是学生，她不太忙。

4. 语音练习 Phonetic drills

(1) 辨音 Discrimination of sounds	
piāoyáng （飘扬） ——	biǎoyáng （表扬）
dǒng le （懂了） ——	tōng le （通了）
xiāoxi （消息） ——	jiāojí （焦急）
gǔ zhǎng （鼓掌） ——	kù cháng （裤长）
shǎo chī （少吃） ——	xiǎochī （小吃）

(2) 辨调　Discrimination of tones

běifāng （北方）	——	běi fáng （北房）
fènliang （分量）	——	fēn liáng （分粮）
mǎi huār （买花儿）	——	mài huār （卖花儿）
dǎ rén （打人）	——	dàrén （大人）
lǎo dòng （老动）	——	láodòng （劳动）
róngyì （容易）	——	róngyī （绒衣）

(3) 读下列词语：第一声+第一声　Read the following words: 1st tone + 1st tone

fēijī （飞机）		cānjiā （参加）
fāshēng （发生）		jiāotōng （交通）
qiūtiān （秋天）		chūntiān （春天）
xīngqī （星期）		yīnggāi （应该）
chōu yān （抽烟）		guānxīn （关心）

05 我介绍一下儿
LET ME INTRODUCE

一 句 子 Sentences

019 他是谁？ Who is he?
Tā shì shéi?

020 我介绍一下儿。 Let me introduce…
Wǒ jièshào yíxiàr.

021 你去哪儿？ Where are you going?
Nǐ qù nǎr?

022 张 老 师 在 家 吗？ Is Mr. Zhang at home?
Zhāng lǎoshī zài jiā ma?

023 我 是 张 老 师 的 学 生。
Wǒ shì Zhāng lǎoshī de xuésheng.
I am Mr. Zhang's student.

024 请 进！ Please come in!
Qǐng jìn!

二 会 话 Conversations

1

玛丽： 王 兰，他是谁？
Mǎlì: Wáng Lán, tā shì shéi?

王兰： 玛丽，我介绍一下儿，这是我哥哥。
Wáng Lán: Mǎlì, wǒ jièshào yíxiàr, zhè shì wǒ gēge.

王林： 我 叫 王 林。认 识 你 很 高 兴。
Wáng Lín: Wǒ jiào Wáng Lín. Rènshi nǐ hěn gāoxìng.

玛丽： 认识你，我也很高兴。
Mǎlì: Rènshi nǐ, wǒ yě hěn gāoxìng.

王兰： 你去哪儿？
Wáng Lán: Nǐ qù nǎr?

玛丽： 我去北京大学。你们去哪儿？
Mǎlì: Wǒ qù Běijīng Dàxué. Nǐmen qù nǎr?

王林： 我 们 去 商 店。
Wáng Lín: Wǒmen qù shāngdiàn.

玛丽： 再见！
Mǎlì: Zàijiàn!

王兰、 王林：再见！
Wáng Lán、Wáng Lín: Zàijiàn!

2

和子： 张 老 师 在 家 吗？
Hézǐ: Zhāng lǎoshī zài jiā ma?

小英： 在。您是——②
Xiǎoyīng: Zài. Nín shì——

和子： 我 是 张 老 师 的 学 生，
Hézǐ: Wǒ shì Zhāng lǎoshī de xuésheng,

我 姓 山 下， 叫 和 子。
wǒ xìng Shānxià, jiào Hézǐ.

你 是——
Nǐ shì——

小英： 我 叫 小 英。张 老 师 是
Xiǎoyīng: Wǒ jiào Xiǎoyīng. Zhāng lǎoshī shì

我 爸 爸。请 进！
wǒ bàba. Qǐng jìn!

和子： 谢 谢！
Hézǐ: Xièxie!

注释   Notes

❶ 我介绍一下儿。Let me introduce...

给别人作介绍时的常用语。"一下儿"表示动作经历的时间短或轻松随便。这里是表示后一种意思。

This is a common expression for introducing others. "一下儿" means that an action will be of short duration or something will be done in a casual way. Here the second meaning is intended.

❷ 您是—— You are...

意思是："您是谁？"被问者应接下去答出自己的姓名或身份。这种句子是在对方跟自己说话，而自己又不认识对方时发出的询问。注意："你是谁"这种问法不太客气，所以对不认识的人，当面一般不问"你是谁"，而是问"您是——"。

It means "Who are you?" The hearer should respond with his name or social status. Such a sentence is used only when a stranger has started to speak to you. Caution: "你是谁" (Who are you?) is a rather impolite inquiry. So normally one avoids asking a stranger "你是谁".

替换与扩展 **Substitution and Extension**

替换 Substitution

（1）我介绍一下儿。 ▶▶◀◀ | 你来 | 我看 | 你听 | 我休息

（2）A：你去哪儿？
　　B：我去北京大学。 ▶▶◀◀ | 商店　宿舍　教室
　　　　　　　　　　　　　　　酒吧　　超市

（3）张老师在家吗？ ▶▶◀◀ | 你爸爸　你妈妈　你妹妹

扩展 Extension

（1）A：你 去 商 店 吗？
　　　Nǐ qù shāngdiàn ma?

　　B：我 不 去 商 店，我 回 家。
　　　Wǒ bú qù shāngdiàn, wǒ huí jiā.

（2）A：大 卫 在 宿 舍 吗？
　　　Dàwèi zài sùshè ma?

　　B：不 在，他 在 ３０２ 教 室。
　　　Bú zài, tā zài sān líng èr jiàoshì.

四　生 词 New Words

1	谁	shéi/shuí	代	who
2	介绍	jièshào	动	to introduce

3	一下儿	yíxiàr	数量	*indicating an action of short duration or that done in a casual way*
4	去	qù	动	to go
5	哪儿	nǎr	代	where
6	在	zài	动/介	to be at (in); in, at
7	家	jiā	名	home
8	的	de	助	*used after an attributive*
9	请	qǐng	动	to invite, please
10	进	jìn	动	to come in, to enter
11	大学	dàxué	名	university
12	商店	shāngdiàn	名	shop
13	看	kàn	动	to look, to watch
14	听	tīng	动	to listen, to hear
15	休息	xiūxi	动	to have a rest
16	宿舍	sùshè	名	dormitory
17	教室	jiàoshì	名	classroom
18	酒吧	jiǔbā	名	bar
19	超市	chāoshì	名	supermarket
20	回	huí	动	to come back, to return

专名 Proper Nouns

1	王林	Wáng Lín	Wang Lin (*name of a person*)
2	北京大学	Běijīng Dàxué	Peking University
3	山下和子	Shānxià Hézǐ	Kazuko Yamashita (*name of a person*)
4	小英	Xiǎoyīng	Xiaoying (*name of a person*)

五 语 法 Grammar

1. 动词谓语句 The sentence with a verbal predicate

谓语的主要成分是动词的句子，叫作动词谓语句。动词如带有宾语，宾语一般在动词的后边。例如：

A sentence with a verb as the main element of its predicate is called a sentence with a verbal predicate. If the verb takes an object, the verb usually precedes the object, e.g.

> ① 他来。　　　　　　② 张老师在家。
> ③ 我去北京大学。

2. 表示领属关系的定语 The attributive genitive

（1）代词、名词作定语表示领属关系时，后面要加结构助词"的"。例如：他的书、张老师的学生、王兰的哥哥。

When a personal pronoun or a noun is used as an attributive genitive, it generally takes the structural particle "的", e.g. "他的书", "张老师的学生", "王兰的哥哥".

（2）人称代词作定语，而中心语是亲属称谓，或表示集体、单位等的名词时，定语后可以不用"的"。例如：我哥哥、他姐姐、我们学校。

When a personal pronoun is used as an attributive and the headword is a kin term or an institutional one, "的" may be omitted in the attributive, e.g. "我哥哥", "他姐姐", "我们学校".

3. "是"字句（1） The "是" sentence (1)

动词"是"和其他词或短语一起构成谓语的句子，叫作"是"字句。"是"字句的否定形式，是在"是"前加否定副词"不"。例如：

A sentence with the verb "是" and other words or phrases constituting its predicate is known as the "是" sentence. Its negative counterpart is formed by putting the negative adverb "不" before "是", e.g.

> ① 他是大夫。　　　　　② 大卫是她哥哥。
> ③ 我不是学生，是老师。

六 练 习 Exercises

1. 熟读下列短语并造句　Read up on the following expressions and make sentences

> 叫什么　　　认识谁　　　　在哪儿
>
> 去商店　　　妈妈的朋友　　王兰的哥哥

2. 用所给词语完成对话　Complete the following conversations with the given words

（1）A：王兰在哪儿？

　　B：＿＿＿＿＿＿＿＿＿＿＿＿＿。（教室）

　　A：＿＿＿＿＿＿＿＿＿＿＿＿？（去教室）

　　B：不。我＿＿＿＿＿＿＿＿＿＿。（回宿舍）

（2）A：你认识王林的妹妹吗？

　　B：＿＿＿＿＿＿＿＿＿＿＿。你呢？

　　A：我认识。

　　B：＿＿＿＿＿＿＿＿＿＿？（名字）

　　A：她叫王兰。

（3）A：＿＿＿＿＿＿＿＿＿＿？（商店）

　　B：去。

　　A：这个商店好吗？

　　B：＿＿＿＿＿＿＿＿＿＿。（好）

3. 根据句中的画线部分，把句子改成用疑问代词提出问题的问句　Change the following sentences into questions by replacing the underlined parts with interrogative pronouns

（1）他是我的老师。　➡ ....

（2）她姓王。　➡ ....

（3）她叫京京。　➡ ....

（4）她认识王林。　➡ ....

（5）王老师去教室。　➡ ....

（6）玛丽在宿舍。　➡ ....

4. 听后复述　Listen and retell 🔘

　　我介绍一下儿，我叫玛丽，我是美国留学生。那是大卫，他是我的朋友，他也是留学生，他是法国（Fǎguó, France）人。刘京、王兰是我们的朋友，认识他们我们很高兴。

5. 语音练习　Phonetic drills 🔘

(1) 辨音　Discrimination of sounds		
zhīdào （知道）	——	chídào （迟到）
běnzi （本子）	——	pénzi （盆子）
zìjǐ （自己）	——	cíqì （瓷器）
niǎolóng （鸟笼）	——	lǎonóng （老农）
chī lí （吃梨）	——	qí lǘ （骑驴）
jiāotì （交替）	——	jiāo dì （浇地）

(2) 辨调 Discrimination of tones

núlì	（奴隶）	——	nǔlì	（努力）
chīlì	（吃力）	——	chī lí	（吃梨）
jiù rén	（救人）	——	jiǔ rén	（九人）
měijīn	（美金）	——	méijìn	（没劲）
zhuāng chē	（装车）	——	zhuàng chē	（撞车）
wán le	（完了）	——	wǎn le	（晚了）

(3) 读下列词语：第一声+第二声 Read the following words: 1st tone + 2nd tone

bā lóu	（八楼）	gōngrén	（工人）
jīnnián	（今年）	tī qiú	（踢球）
huānyíng	（欢迎）	shēngcí	（生词）
dāngrán	（当然）	fēicháng	（非常）
gōngyuán	（公园）	jiātíng	（家庭）

复习（一）

REVIEW (I)

一 会 话 Conversations 💿

1

林：你好！

A：林大夫，您好！

林：你爸爸、妈妈身体好吗？

A：他们身体都很好。谢谢！

林：这是——

A：这是我朋友，叫马小民（Mǎ Xiǎomín, *name of a person*）。〔对马小民说〕林大夫是我爸爸的朋友。

马：林大夫，您好！认识您很高兴。

林：认识你，我也很高兴。你们去哪儿？

马：我回家。

A：我去他家。您呢？

林：我去商店。再见！

A、马：再见！

2

高（Gāo, *surname*）：马小民在家吗？

B：在。您贵姓？

高：我姓高，我是马小民的老师。

B：高老师，请进。

高：你是——

B：我是马小民的姐姐，我叫马小清（Mǎ Xiǎoqīng, *name of a person*）。

语 法 Grammar

"也"和"都"的位置 The positions of "也" and "都"

（1）副词"也"和"都"必须放在主语之后、谓语动词或形容词之前。"也""都"同时修饰谓语时，"也"必须在"都"前边。例如：

The adverbs "也" and "都" should be put between the subject and the predicate verb or adjective. When both of them are used to modify the same predicate, "也" should be put before "都", e.g.

> ① 我也很好。
>
> ② 他们都很好。
>
> ③ 我们都是学生，他们也都是学生。

（2）"都"一般总括它前边出现的人或事物，因此只能说"我们都认识他"，不能说"我都认识他们"。

As a rule, "都" indicates all of the persons or things referred to by the preceding noun (phrase). Therefore, one can say "我们都认识他", but not "我都认识他们".

三 练 习 Exercises

1. 辨音辨调 Discrimination of sounds and tones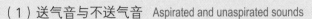

（1）送气音与不送气音 Aspirated and unaspirated sounds

b	bǎo le	饱了	full
p	pǎo le	跑了	to run away
d	dà de	大的	big
t	tā de	他的	his
g	gāi zǒu le	该走了	It's time to leave.
k	kāi zǒu le	开走了	to drive away
j	dì jiǔ	第九	ninth
q	dìqiú	地球	the Earth

（2）区别几个易混的声母和韵母 Discrimination of a few easily confused initials and finals

j-x	jiějie	（姐姐）	——	xièxie	（谢谢）
s-sh	sìshísì	（四十四）	——	shì yi shì	（试一试）
üe-ie	dàxué	（大学）	——	dà xié	（大鞋）
uan-xuang	yì zhī chuán	（一只船）	——	yì zhāng chuáng	（一张床）

（3）区别不同声调的不同意义 Discrimination of the meanings of different tones

yǒu	（有 to have）	——	yòu	（又 again）
jǐ	（几 how many）	——	jì	（寄 to post）
piāo	（漂 to float）	——	piào	（票 ticket）
shí	（十 ten）	——	shì	（是 yes）
sī	（丝 silk）	——	sì	（四 four）
xǐ	（洗 to wash）	——	xī	（西 west）

2. 三声音节连读　Liaison of 3rd-tone syllables 💿

（1）Wǒ hǎo. 　　　　　（2）Nǐ yǒu.

　　　Wǒ hěn hǎo. 　　　　　　Nǐ yǒu biǎo (watch).

　　　Wǒ yě hěn hǎo. 　　　　　Nǐ yě yǒu biǎo.

四　阅读短文　**Reading Passage**

　　他叫大卫。他是法国（Fǎguó, France）人。他在北京语言大学（Běijīng Yǔyán Dàxué, Beijing Language and Culture University）学习。

　　玛丽是美国人。她认识大卫。他们是同学（tóngxué, classmate）。

　　刘京和（hé, and）王兰都是中国（Zhōngguó, China）人。他们都认识玛丽和大卫。他们常去留学生宿舍看玛丽和大卫。

　　玛丽和大卫的老师姓张。张老师很忙。他身体不太好。张老师的爱人（àiren, spouse）是大夫。她身体很好，工作很忙。

xúnwèn
询问（1）
MAKING AN
INQUIRY

06 你的生日是几月几号
WHEN IS YOUR BIRTHDAY

一 句 子 Sentences

025 今天几号？ What is the date today?
Jīntiān jǐ hào?

026 今天八号。 Today is the 8th.
Jīntiān bā hào.

027 今天不是星期四，昨天星期四。
Jīntiān bú shì xīngqīsì, zuótiān xīngqīsì.
Today is not Thursday, but yesterday was.

028 晚上你做什么？
Wǎnshang nǐ zuò shénme?
What will you do this evening?

029 你的生日是几月几号？
Nǐ de shēngrì shì jǐ yuè jǐ hào?
When is your birthday?

030 我们上午去她家，好吗？
Wǒmen shàngwǔ qù tā jiā, hǎo ma?
We'll go to visit her home in the morning, won't we?

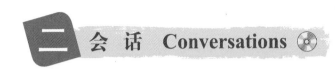

二 会 话 Conversations

1

玛丽： 今天几号？
Mǎlì: Jīntiān jǐ hào?

大卫： 今天八号。
Dàwèi: Jīntiān bā hào.

玛丽： 今天星期四吗？
Mǎlì: Jīntiān xīngqīsì ma?

大卫： 今天不是星期四，昨天星期四。
Dàwèi: Jīntiān bú shì xīngqīsì, zuótiān xīngqīsì.

玛丽： 明天星期六，晚上你做什么？
Mǎlì: Míngtiān xīngqīliù, wǎnshang nǐ zuò shénme?

大卫： 我看电影，你呢？
Dàwèi: Wǒ kàn diànyǐng, nǐ ne?

玛丽： 我去酒吧。
Mǎlì: Wǒ qù jiǔbā.

2

玛丽： 你的生日是几月几号？
Mǎlì: Nǐ de shēngrì shì jǐ yuè jǐ hào?

王兰： 三月十七号。 你呢？
Wáng Lán: Sānyuè shíqī hào. Nǐ ne?

玛丽： 五月九号。
Mǎlì: Wǔyuè jiǔ hào.

王兰： 四号是张丽英的生日。
Wáng Lán: Sì hào shì Zhāng Lìyīng de shēngrì.

玛丽： 四号星期几？
Mǎlì: Sì hào xīngqī jǐ?

王兰： 星期天。
Wáng Lán: Xīngqītiān.

玛丽： 你去她家吗？
Mǎlì: Nǐ qù tā jiā ma?

王兰： 去，你呢？
Wáng Lán: Qù, nǐ ne?

玛丽： 我也去。
Mǎlì: Wǒ yě qù.

王兰： 我们上午去，好吗？
Wáng Lán: Wǒmen shàngwǔ qù, hǎo ma?

玛丽： 好。
Mǎlì: Hǎo.

三 替换与扩展 Substitution and Extension

替换 Substitution

（1）今天几号？　　>><<　　

昨天	明天	这个星期六
这个星期日		

（2）A：晚上你做什么？
　　　B：我看电影。　　>><<

看书	听音乐
看电视	写信

（3）我们上午去她家，好吗？　　>><<

晚上去酒吧	下午去书店
星期天听音乐	明天去买东西

📍 扩展 Extension

（1）A：明 天 是 几 月 几 号，星 期 几？
　　　Míngtiān shì jǐ yuè jǐ hào, xīngqī jǐ?

　　 B：明 天 是 十 一 月 二 十 八 号，星 期 日。
　　　Míngtiān shì shíyīyuè èrshíbā hào, xīngqīrì.

（2）这 个 星 期 五 是 我 朋 友 的 生 日。他 今 年
　　 Zhè ge xīngqīwǔ shì wǒ péngyou de shēngrì. Tā jīnnián

　　 二 十 岁。下 午 我 去 他 家 看 他。
　　 èrshí suì. Xiàwǔ wǒ qù tā jiā kàn tā.

四　生 词　New Words 💿

1	几	jǐ	数	how many
2	星期	xīngqī	名	week
3	昨天	zuótiān	名	yesterday
4	晚上	wǎnshang	名	evening
5	做	zuò	动	to do, to make
6	生日	shēngrì	名	birthday
7	上午	shàngwǔ	名	morning
8	电影	diànyǐng	名	movie
9	星期天 （星期日）	xīngqītiān (xīngqīrì)	名	Sunday
10	书	shū	名	book
11	音乐	yīnyuè	名	music
12	电视	diànshì	名	television

13	写	xiě	动	to write
14	信	xìn	名	letter
15	下午	xiàwǔ	名	afternoon
16	书店	shūdiàn	名	bookstore
17	买	mǎi	动	to buy
18	东西	dōngxi	名	thing, goods
19	岁	suì	量	age

📍 专名 Proper Noun

| 张丽英 | Zhāng Lìyīng | Zhang Liying (*name of a person*) |

五 语法 Grammar

1. 名词谓语句 The sentence with a nominal predicate

（1）由名词、名词短语或数量词等直接作谓语的句子，叫作名词谓语句。肯定句不用"是"（如用"是"则是动词谓语句）。这种句子主要用来表达时间、年龄、籍贯及数量等。例如：

A sentence with a noun, noun phrase or quantifier as its predicate is known as the sentence with a nominal predicate. In an affirmative sentence, "是" is not used ("是" is used in the sentence with a verbal predicate). This type of sentence is mainly used to show time, age, birthplace and quantity, e.g.

① 今天星期天。　② 我今年二十岁。
③ 他北京人。

（2）如果要表示否定，在名词谓语前加"不是"，变成动词谓语句。例如：

The addition of "不是" before the nominal predicate makes it the negative counterpart of the sentence, resulting in a sentence with a verbal predicate at the same time, e.g.

④ 今天不是星期天。　　　⑤ 他不是北京人。

2. 年、月、日、星期的表示法　Ways to show the year, the month, the day and the days of the week

（1）年的读法是直接读出每个数字。例如：

The way to read a year is simply to read every figure, e.g.

一 九 九 八 年
yī jiǔ jiǔ bā nián

二 〇 〇 六 年
èr líng líng liù nián

二 〇 一 五 年
èr líng yī wǔ nián

二 〇 二 〇 年
èr líng èr líng nián

（2）十二个月的名称是数词"一"至"十二"后边加"月"。例如：

The names of the twelve months are formed by adding "月" to each of the numerals from 1 to 12, e.g.

一月　　　　五月　　　　九月　　　　十二月
yīyuè　　　　wǔyuè　　　　jiǔyuè　　　　shí'èryuè

（3）日的表示法同月。数词 1 至 31 后加"日"或"号"（"日"多用于书面语，"号"多用于口语）。

A day is indicated in the same way as a month, i.e., to add "日" or "号" to each of the numerals from 1 to 31. ("日" is mainly used in written Chinese, while "号" is preferred as an oral form.)

（4）星期的表示法是"星期"后加数词"一"至"六"。第七天为"星期日"，或叫"星期天"。

Weekdays are indicated by putting "星期" before each of numerals from "一" to "六". The seventh day is written as "星期日" or "星期天".

（5）年、月、日、星期的顺序如下：

The order of the year, month, day and the days of the week is as follows:

2015 年 6 月 12 日（星期五）

3. "……，好吗？"　The question tag "……，好吗？"

（1）这是用来提出建议后，征询对方意见的一种问法。问句的前一部分是陈述句。例如：

It is a way of soliciting an opinion from the person you are talking to after making a proposal.

The first part of the question is a declarative sentence, e.g.

① 你来我宿舍，好吗？　　② 明天去商店，好吗？

（2）如果同意，就用"好""好啊（wa）"等应答。

If the reply is positive, one should say "好" or "好啊 (wa)".

六 练 习 Exercises

1. 熟读下列短语并选择四个造句 Read up on the following expressions and make sentences with four of them

做什么
买什么

看书
看电影

他的生日
我的宿舍

星期天下午
明天上午
今天晚上

看电视
听音乐
写信

2. 完成对话 Complete the following conversations

（1）A：明天星期几？

B：＿＿＿＿＿＿＿＿＿＿＿＿。

A：＿＿＿＿＿＿＿＿＿＿＿＿？

B：我看电视。

（2）A：这个星期六是几月几号？

B：＿＿＿＿＿＿＿＿＿＿＿＿。

A：你去商店吗？

B：＿＿＿＿＿＿＿＿＿＿＿，我工作很忙。

（3）A：这个星期天晚上你做什么？

B：＿＿＿＿＿＿＿＿＿＿＿＿＿。你呢？

A：＿＿＿＿＿＿＿＿＿＿＿＿＿。

3. 谈一谈 Say what you can

（1）同学们互相介绍自己的生日。

Students talk about their own birthdays.

（2）介绍一下儿你做下面几件事情的时间。

Talk about the periods of time in which you do the following things.

> 看书   看电视   听音乐   写信   看电影

4. 听后复述 Listen and retell 💿

今天星期天，我不学习（xuéxí, to study）。上午我去商店，下午我去看朋友，晚上我写信。

5. 语音练习 Phonetic drills 💿

(1) 辨音 Discrimination of sounds		
zhuànglì（壮丽）	——	chuànglì（创立）
zǎoyuán（枣园）	——	cǎoyuán（草原）
rénmín（人民）	——	shēngmíng（声明）
pǎo bù（跑步）	——	bǎohù（保护）
niúnǎi（牛奶）	——	yóulǎn（游览）
qǐ zǎo（起早）	——	xǐ zǎo（洗澡）

(2) 辨调 Discrimination of tones

túdì	（徒弟）	——	tǔdì	（土地）
xuèyè	（血液）	——	xuéyè	（学业）
cāi yi cāi	（猜一猜）	——	cǎi yi cǎi	（踩一踩）
zǔzhī	（组织）	——	zǔzhǐ	（阻止）
jiǎnzhí	（简直）	——	jiān zhí	（兼职）
jiǎng qíng	（讲情）	——	jiǎng qīng	（讲清）

(3) 读下列词语：第一声+第三声 Read the following words: 1st tone + 3rd tone

qiānbǐ	（铅笔）	jīchǎng	（机场）
xīnkǔ	（辛苦）	jīnglǐ	（经理）
shēntǐ	（身体）	cāochǎng	（操场）
hēibǎn	（黑板）	kāishǐ	（开始）
fāngfǎ	（方法）	gēwǔ	（歌舞）

xúnwèn
询问（2）
MAKING AN INQUIRY

07 你家有几口人
HOW MANY PEOPLE ARE THERE IN YOUR FAMILY

一 句子 Sentences

031
你 家 有 几 口 人？①
Nǐ jiā yǒu jǐ kǒu rén?
How many people are there in your family?

032
你 妈 妈 做 什 么 工 作？
Nǐ māma zuò shénme gōngzuò?
What does your mother do?

033
她 在 大 学 工 作。 She works in a university.
Tā zài dàxué gōngzuò.

034
我 家 有 爸 爸、 妈 妈 和 一 个 弟 弟。
Wǒ jiā yǒu bàba, māma hé yí ge dìdi.
There are my father, mother and a younger brother in my family.

035
哥 哥 结 婚 了。 My elder brother is married.
Gēge jié hūn le.

036
他 们 没 有 孩 子。 They haven't any children.
Tāmen méi yǒu háizi.

会 话 **Conversations**

1

大卫：刘京，你家有几口人？
Dàwèi: Liú Jīng, nǐ jiā yǒu jǐ kǒu rén?

刘京：四口人。你家呢？
Liú Jīng: Sì kǒu rén. Nǐ jiā ne?

大卫：两口人②，妈妈和我。
Dàwèi: Liǎng kǒu rén, māma hé wǒ.

刘京：你妈妈做什么工作？
Liú Jīng: Nǐ māma zuò shénme gōngzuò?

大卫：她是老师。她在大学工作。
Dàwèi: Tā shì lǎoshī. Tā zài dàxué gōngzuò.

2

大卫：和子，你家有什么人？
Dàwèi: Hézǐ, nǐ jiā yǒu shénme rén?

和子：爸爸、妈妈和一个弟弟。
Hézǐ: Bàba、 māma hé yí ge dìdi.

大卫：你弟弟是学生吗？
Dàwèi: Nǐ dìdi shì xuésheng ma?

和子：是，他学习英语。
Hézǐ: Shì, tā xuéxí Yīngyǔ.

大卫：你妈妈工作吗？
Dàwèi: Nǐ māma gōngzuò ma?

和子：她不工作。
Hézǐ: Tā bù gōngzuò.

3

王兰：　你家有谁？③
Wáng Lán:　Nǐ jiā yǒu shéi?

玛丽：　爸爸、妈妈和姐姐。
Mǎlì:　Bàba、 māma hé jiějie.

王兰：　你姐姐工作吗？
Wáng Lán:　Nǐ jiějie gōngzuò ma?

玛丽：　工作。她是职员，在银行工作。你哥哥
Mǎlì:　Gōngzuò. Tā shì zhíyuán, zài yínháng gōngzuò. Nǐ gēge

做什么工作？
zuò shénme gōngzuò?

王兰：　他是大夫。
Wáng Lán:　Tā shì dàifu.

玛丽：　他结婚了吗？
Mǎlì:　Tā jié hūn le ma?

王兰：　结婚了。他爱人是护士。
Wáng Lán:　Jié hūn le. Tā àiren shì hùshi.

玛丽：　他们有孩子吗？
Mǎlì:　Tāmen yǒu háizi ma?

王兰：　没有。
Wáng Lán:　Méi yǒu.

注释　Notes

❶ 你家有几口人？　How many people are there in your family?

"几口人" 只用于询问家庭的人口。其他场合询问人数时，量词要用 "个" "位" 等。

"几口人" is used to ask about the number of people in the family only. When one wants to ask about the number of people in an institution or a community, he should use the measure word "个" or "位", etc.

❷ 两口人　two people

　　"两"和"二"都表示"2"。在量词前一般多用"两"，不用"二"。例如：两个朋友、两个哥哥。但10以上数字中的"2"，如12、32等数字中的"2"，不管后面有无量词，都用"二"，不用"两"。例如：十二点、二十二个学生。

　　"两" and "二" both mean "2". Generally, "两" is used instead of "二" before a measure word, e.g. "两个朋友", "两个哥哥". But for a figure bigger than 10, e.g. 12 or 32, "二" is used instead of "两" no matter whether it is followed by a measure word or not, e.g. "十二点", "二十二个学生".

❸ 你家有谁？　Who are there in your family?

　　此句与"你家有什么人"意思相同。"谁"既可以是单数（一个人），也可以是复数（几个人）。

　　The above sentence has the same meaning as "你家有什么人". "谁" can either be singular (one person) or plural (several persons).

 替换与扩展　Substitution and Extension

📍 替换　Substitution

（1）他学习<u>英语</u>。　≫ ≪　| 汉语 | 日语 | 韩语 |

（2）她在<u>银行</u> <u>工作</u>。　≫ ≪

教室	上课
宿舍	上网
家	看电视

（3）<u>他们</u>有<u>孩子</u>吗？　≫ ≪

你	姐姐	他	妹妹
你	英语书	他	汉语书
你	电脑	他	手机

📍 扩展 Extension

(1) 我 在 北 京 语 言 大 学 学 习 。
　　Wǒ zài Běijīng Yǔyán Dàxué xuéxí.

(2) 今 天 有 汉 语 课 ， 明 天 没 有 课 。
　　Jīntiān yǒu Hànyǔ kè, míngtiān méi yǒu kè.

(3) 下 课 了 ， 我 回 宿 舍 休 息 。
　　Xià kè le, wǒ huí sùshè xiūxi.

四 生 词 New Words

1	有	yǒu	动	there to be, to have
2	口	kǒu	量	*a measure word for people in a family*
3	和	hé	连	and, as well as
4	结婚	jié hūn		to marry
5	了	le	助	*used after a verb or an adjective to indicate the completion of an action or a change*
6	没	méi	副	no, not
7	孩子	háizi	名	child, children
8	两	liǎng	数	two
9	学习	xuéxí	动	to study
10	英语	Yīngyǔ	名	English (*language*)
11	职员	zhíyuán	名	employee, clerk
12	银行	yínháng	名	bank
13	爱人	àiren	名	spouse, wife or husband
14	护士	hùshi	名	nurse

15	汉语	Hànyǔ	名	Chinese (*language*)
16	日语	Rìyǔ	名	Japanese (*language*)
17	韩语	Hányǔ	名	Korean (*language*)
18	上课	shàng kè		to go to class
19	上网	shàng wǎng		to surf the net
	网	wǎng	名	Internet
20	电脑	diànnǎo	名	computer
21	手机	shǒujī	名	cellphone, mobile phone
22	下课	xià kè		class is over

📍 专名 Proper Noun

北京语言大学 Běijīng Yǔyán Dàxué　Beijing Language and Culture University

五 语法 Grammar

1. "有"字句 The "有" sentence

由"有"及其宾语作谓语的句子，叫"有"字句。这种句子表示领有。它的否定式是在"有"前加副词"没"，不能加"不"。例如：

A sentence with the predicate made up of "有" and its object is known as the "有" sentence. Such a sentence indicates possession. Its negative form is constructed by putting the adverb "没", but not "不", before "有", e.g.

① 我有汉语书。　② 他没有哥哥。

③ 他没有日语书。

2. 介词结构　Prepositional constructions

介词跟它的宾语组成介词结构，常用在动词前作状语。如"在银行工作""在教室上课"中的"在银行""在教室"都是由介词"在"和它的宾语组成的介词结构。

The prepositional construction consists of a preposition and its object. It often occurs before a verb, serving as an adverbial adjunct, e.g. "在银行" and "在教室" in "在银行工作" and "在教室上课", respectively, are both prepositional constructions composed of the preposition "在" and its object.

六　练习　Exercises

1. 选择适当的动词填空　Fill in the blanks with the appropriate verbs

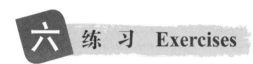

| 听 | 写 | 学习 | 看 | 有 | 叫 | 是 |

（1）———————— 什么名字　　　（2）———————— 几口人

（3）———————— 学生　　　　　（4）———————— 汉语

（5）———————— 音乐　　　　　（6）———————— 信

（7）———————— 电视

2. 用"几"提问，完成下列对话　Complete the following conversations by raising questions with "几"

（1）A：———————————————————？

B：明天星期四。

A：———————————————————？

B：明天是六月一号。

（2）A：———————————————————？

B：王老师家有四口人。

A：他有孩子吗？

B：————————————————————。

A：————————————————————？

B：他有一个孩子。

3. 谈一谈　Say what you can

（1）同学们互相介绍自己的家庭。

　　Students talk about each other's families.

（2）介绍一下儿自己在哪儿学习、学习什么。

　　Say something about where and what you study.

4. 听后复述　Listen and retell 🖸

　　小明五岁。他有一个哥哥，哥哥是学生。他爸爸、妈妈都工作。小明说（shuō, to say），他家有五口人。那一个是谁？是他的猫（māo, cat）。

5. 语音练习　Phonetic drills 🖸

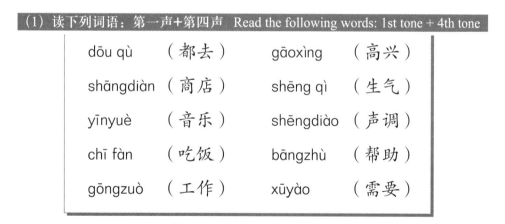

（1）读下列词语：第一声＋第四声　Read the following words: 1st tone + 4th tone

dōu qù	（都去）	gāoxìng	（高兴）
shāngdiàn	（商店）	shēng qì	（生气）
yīnyuè	（音乐）	shēngdiào	（声调）
chī fàn	（吃饭）	bāngzhù	（帮助）
gōngzuò	（工作）	xūyào	（需要）

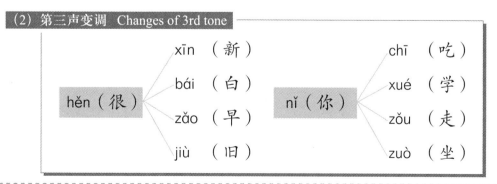

（2）第三声变调　Changes of 3rd tone

	xīn （新）		chī （吃）
hěn （很）	bái （白）	nǐ （你）	xué （学）
	zǎo （早）		zǒu （走）
	jiù （旧）		zuò （坐）

xúnwèn
询问（3）
MAKING AN INQUIRY

08 现在几点

WHAT TIME IS IT NOW

一 句 子 Sentences

037 | 现在几点？ What time is it now?
Xiànzài jǐ diǎn?

038 | 现在七点二十五分。
Xiànzài qī diǎn èrshíwǔ fēn.
It's twenty-five past seven now.

039 | 你几点上课？ At what time does your class begin?
Nǐ jǐ diǎn shàng kè?

040 | 差一刻八点去。 I'll go at a quarter to eight.
Chà yí kè bā diǎn qù.

041 | 我去吃饭。 I'm going to have my lunch.
Wǒ qù chī fàn.

042 | 我们什么时候去？ When will we go?
Wǒmen shénme shíhou qù?

043 | 太早了。 It is still early./It is too early.
Tài zǎo le.

044 | 我也六点半起床。I also get up at half past six.
Wǒ yě liù diǎn bàn qǐ chuáng.

二 会话 Conversations

1

玛丽： 现在几点？
Mǎlì: Xiànzài jǐ diǎn?

王兰： 现在七点二十五分。
Wáng Lán: Xiànzài qī diǎn èrshíwǔ fēn.

玛丽： 你几点上课？
Mǎlì: Nǐ jǐ diǎn shàng kè?

王兰： 八点。
Wáng Lán: Bā diǎn.

玛丽： 你什么时候去教室？
Mǎlì: Nǐ shénme shíhou qù jiàoshì?

王兰： 差一刻八点去。
Wáng Lán: Chà yí kè bā diǎn qù.

玛丽： 现在你去教室吗？
Mǎlì: Xiànzài nǐ qù jiàoshì ma?

王兰： 不去，我去吃饭。
Wáng Lán: Bú qù, wǒ qù chī fàn.

2

刘京： 明天去长城，好吗？
Liú Jīng: Míngtiān qù Chángchéng, hǎo ma?

大卫：好，什么时候去？
Dàwèi: Hǎo, shénme shíhou qù?

刘京：早上七点。
Liú Jīng: Zǎoshang qī diǎn.

大卫：太早了，七点半吧。你几点起床？
Dàwèi: Tài zǎo le, qī diǎn bàn ba. Nǐ jǐ diǎn qǐ chuáng?

刘京：六点半，你呢？
Liú Jīng: Liù diǎn bàn, nǐ ne?

大卫：我也六点半起床。
Dàwèi: Wǒ yě liù diǎn bàn qǐ chuáng.

三 替换与扩展 Substitution and Extension

替换 Substitution

(1) A：现在几点？
　　B：现在7:25。

| 10:15 | 3:45 | 11:35 | 12:10 |
| 2:30 | 8:15 | 2:55 | 5:20 |

(2) A：你什么时候
　　　去教室？
　　B：差一刻八点去。

来教室	2:00来
来我的宿舍	4:00来
去食堂	11:55去
去上海	7月28号去
去日本	1月25号去

(3) 我去吃饭。

| 买花 | 听音乐 | 打网球 |
| 看电影 | 买水 | 睡觉 |

扩展 Extension

（1）现 在 两 点 零 五 分，我 去 大 卫 宿 舍 看 他。
　　Xiànzài liǎng diǎn líng wǔ fēn, wǒ qù Dàwèi sùshè kàn tā.

（2）早 上 七 点 一 刻 吃 早 饭。
　　Zǎoshang qī diǎn yí kè chī zǎofàn.

四 生 词 New Words

1	现在	xiànzài	名	now, nowadays
2	点	diǎn	量	o'clock, hour
3	分	fēn	量	minute
4	差	chà	动	to lack, to be short of
5	刻	kè	量	quarter
6	吃	chī	动	to eat
7	饭	fàn	名	meal, (cooked) rice
8	时候	shíhou	名	time, hour
9	半	bàn	数	half
10	起	qǐ	动	to get up
11	床	chuáng	名	bed
12	早上	zǎoshang	名	morning
13	吧	ba	助	*used at the end of a sentence, implying soliciting sb.'s advice, suggestion, request or mild command*
14	食堂	shítáng	名	dining-room
15	花（儿）	huā (r)	名	flower

16	打	dǎ	动	to play
17	网球	wǎngqiú	名	tennis
18	水	shuǐ	名	water
19	睡觉	shuì jiào		to go to sleep
20	早饭	zǎofàn	名	breakfast

专名 Proper Noun

| 长城 | Chángchéng | the Great Wall |

五 语法 Grammar

1. 钟点的读法 How to tell time

2:00 两点 liǎng diǎn

6:05 六点零五分 liù diǎn líng wǔ fēn

8:15 八点十五分 bā diǎn shíwǔ fēn 　八点一刻 bā diǎn yí kè

10:30 十点三十分 shí diǎn sānshí fēn 　十点半 shí diǎn bàn

11:45 十一点四十五分 shíyī diǎn sìshíwǔ fēn 　十一点三刻 shíyī diǎn sān kè 　差一刻十二点 chà yí kè shí'èr diǎn

1:50 一点五十分 yī diǎn wǔshí fēn 　差十分两点 chà shí fēn liǎng diǎn

2. 时间词 Time words

（1）表示时间的名词或数量词可作主语、谓语、定语。例如：

Nouns or quantifiers indicating time may be used as subjects, predicates and attributives, e.g.

① 现在八点。（主语） ② 今天五号。（谓语）

③ 他看八点二十的电影。（定语）

④ 晚上的电视很好。（定语）

（2）时间词作状语时，可放在主语之后、谓语之前，也可放在主语之前。例如：

When used as an adverbial adjunct, a time word may be put between the subject and the predicate, or before the subject, e.g.

⑤ 我晚上看电视。 ⑥ 晚上我看电视。

（3）作状语的时间词有两个以上时，表示时间长的词在前。例如：

When more than two time words are used as adverbial adjuncts, the word showing a longer period of time comes first, e.g.

⑦ 今天晚上八点二十分我看电影。

（4）时间词与处所词同时作状语时，一般来说时间词在前，处所词在时间词之后。例如：

When a time word and a place word are both used as adverbial adjuncts in the same sentence, normally the time word is put before the place word, e.g.

⑧ 她现在在银行工作。

六 练 习 Exercises

1. 用汉语说出下列时间并选择五个造句 Read the following points of time in Chinese and make sentences with five of them

10:00	6:30	4:35	8:05	7:15
9:25	11:45	2:55	3:20	12:10

2. 完成对话 Complete the following conversations

（1）A：你们几点上课？

B：＿＿＿＿＿＿＿＿＿＿＿。

A：你几点去教室？

B：＿＿＿＿＿＿＿＿＿。现在几点？

A：＿＿＿＿＿＿＿＿＿＿＿。

（2）A：＿＿＿＿＿＿＿＿＿＿？

B：十二点半吃午饭。

A：＿＿＿＿＿＿＿＿＿＿？

B：我十二点十分去食堂。

3. 按照实际情况回答问题 Answer the following questions according to the actual situations

（1）你几点起床？你吃早饭吗？几点吃早饭？

（2）你几点上课？几点下课？几点吃饭？

（3）你几点吃晚饭（wǎnfàn, dinner）？几点睡觉？

（4）星期六你几点起床？几点睡觉？

4. 说说你的一天 Talk about a day in your life

5. 听后复述 Listen and retell

今天星期六，我们不上课。小王说（shuō, to say），晚上有一个好电影，他和我一起（yìqǐ, together）去看，我很高兴。

下午六点我去食堂吃饭，六点半去小王的宿舍，七点我们去看电影。

6. 语音练习　Phonetic drills 💿

(1) 读下列词语：第一声+轻声　Read the following words: 1st tone + neutral tone

yīfu	（衣服）	xiūxi	（休息）
dōngxi	（东西）	zhīshi	（知识）
chuānghu	（窗户）	tāmen	（他们）
dāozi	（刀子）	bōli	（玻璃）
māma	（妈妈）	zhuōzi	（桌子）

(2) 常用音节练习　Drills on the frequently used syllables

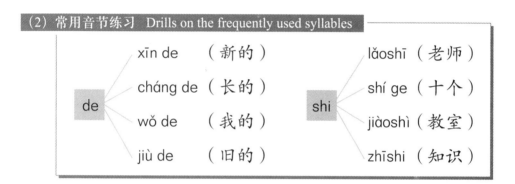

de
- xīn de　（新的）
- cháng de　（长的）
- wǒ de　（我的）
- jiù de　（旧的）

shi
- lǎoshī　（老师）
- shí ge　（十个）
- jiàoshì　（教室）
- zhīshi　（知识）

xúnwèn
询问（4）
MAKING AN
INQUIRY

09 你住在哪儿
WHERE DO YOU LIVE

一 句 子 Sentences

045 你 住 在 哪儿？ Where do you live?
Nǐ zhù zài nǎr?

046 我 住 在 留 学 生 宿 舍 。
Wǒ zhù zài liúxuéshēng sùshè.
I live in the dormitory for foreign students.

047 多 少 号 房 间？ ①② What's the number of your room?
Duōshao hào fángjiān?

048 你 家 在 哪儿？ Where is your home?
Nǐ jiā zài nǎr?

049 欢 迎 你 去 玩儿 。 You are welcome to my home.
Huānyíng nǐ qù wánr.

050 她 常 去 。 She often goes there.
Tā cháng qù.

051 我 们 一 起 去 吧 。 Let's go there together.
Wǒmen yìqǐ qù ba.

052 | 那太好了！③ That's great!
Nà tài hǎo le!

 二 会 话 Conversations

1

刘京： 你 住 在 哪儿？
Liú Jīng： Nǐ zhù zài nǎr?

大卫： 我 住 在 留 学 生 宿 舍。
Dàwèi： Wǒ zhù zài liúxuéshēng sùshè.

刘京： 几 号 楼？ ①
Liú Jīng： Jǐ hào lóu?

大卫： 九 号 楼。
Dàwèi： Jiǔ hào lóu.

刘京： 多 少 号 房 间？
Liú Jīng： Duōshao hào fángjiān?

大卫： ３ ０ ８ 房 间。② 你 家 在 哪儿？
Dàwèi： Sān líng bā fángjiān. Nǐ jiā zài nǎr?

刘京： 我 家 在 学 院 路 ２５ 号，欢 迎 你 去 玩儿。
Liú Jīng： Wǒ jiā zài Xuéyuàn Lù èrshíwǔ hào, huānyíng nǐ qù wánr.

大卫： 谢 谢！
Dàwèi： Xièxie!

2

大卫： 张 丽 英 家 在 哪 儿？
Dàwèi： Zhāng Lìyīng jiā zài nǎr?

玛丽： 我 不 知 道 。 王 兰 知 道 。 她 常 去 。
Mǎlì： Wǒ bù zhīdào. Wáng Lán zhīdào. Tā cháng qù.

大卫： 好 ， 我 去 问 她 。
Dàwèi： Hǎo, wǒ qù wèn tā.

3

大卫： 王 兰 ， 张 丽 英 家 在 哪 儿 ？
Dàwèi： Wáng Lán, Zhāng Lìyīng jiā zài nǎr?

王兰： 清 华 大 学 旁 边 。 你 去 她 家 吗 ？
Wáng Lán： Qīnghuá Dàxué pángbiān. Nǐ qù tā jiā ma?

大卫： 对 ， 明 天 我 去 她 家 。
Dàwèi： Duì, míngtiān wǒ qù tā jiā.

王兰： 你 不 认 识 路 ，
Wáng Lán： Nǐ bú rènshi lù,

我 们 一 起 去 吧 。
wǒmen yìqǐ qù ba.

大卫： 那 太 好 了 ！
Dàwèi： Nà tài hǎo le!

注释　Notes

❶ 多少号房间？ What's the room number?
几号楼？ What's the building number?
　　这两句中的"几"和"多少"都是用来询问数目的。估计数目在 10 以下，一般用"几"，10 以上用"多少"。
　　"几" and "多少" in the two sentences are interrogatives of number. When the estimated number is smaller than 10, "几" is usually used; when the estimated number exceeds 10, "多少" is used.

❷ 多少号房间？ What's the room number?
308房间。 Room 308.
　　"号"用在数字后面表示顺序，一般不省略。例如：
　　"号" is used after the number to indicate orders, and usually cannot be omitted, e.g.

9号楼　　　　　　　23号房间

如果数字多于三位，一般省略"号"，而且按字面读数字。例如：

If the number has more than three digits, "号"is usually omitted, and the number is read literally, e.g.

303楼　　　　　　　2032房间

❸ 那太好了！ That's great!

这里的"那"，意思是"那样的话"。"太好了"是表示满意、赞叹的用语。"太"在这里表示程度极高。

"那" here means "if so". "太好了" is an expression showing satisfaction, appreciation and so on. Here "太" greatly intensifies the meaning of the word that follows it.

 替换与扩展 **Substitution and Extension**

📍 替换 Substitution

（1）A：你住在哪儿？ 　　B：我住在<u>留学生宿舍</u>。	9号楼308房间	
	5号楼204房间	
	上海	北京饭店

（2）欢迎你<u>去玩儿</u>。	来我家玩儿	来北京工作
	来语言大学学习	

（3）她常去<u>张丽英家</u>。	那个公园	那个邮局
	留学生宿舍	他们学校

扩展 Extension

A： 你 去 哪 儿？
Nǐ qù nǎr?

B： 我 去 邮 局 买 邮 票。你 知 道 王 老 师 住 在
Wǒ qù yóujú mǎi yóupiào. Nǐ zhīdào Wáng lǎoshī zhù zài

哪 儿 吗？
nǎr ma?

A： 他 住 在 宾 馆 2 层 2 3 4 房 间。
Tā zhù zài bīnguǎn èr céng èr sān sì fángjiān.

四 生 词 New Words

1	住	zhù	动	to live
2	多少	duōshao	代	how many, how much
3	号	hào	量	*indicating the order of sequence*
4	房间	fángjiān	名	room
5	欢迎	huānyíng	动	to welcome
6	玩儿	wánr	动	to enjoy oneself, to play
7	常（常）	cháng (cháng)	副	often, usually
8	一起	yìqǐ	副	together
9	楼	lóu	名	building
10	路	lù	名	road
11	知道	zhīdào	动	to know
12	问	wèn	动	to ask

13	旁边	pángbiān	名	beside
14	对	duì	形/介/动	right; opposite; to face
15	公园	gōngyuán	名	park
16	邮局	yóujú	名	post office
17	学校	xuéxiào	名	school
18	邮票	yóupiào	名	stamp
19	宾馆	bīnguǎn	名	hotel
20	层	céng	量	floor

专名 Proper Nouns

1	学院路	Xuéyuàn Lù	Xueyuan Road
2	清华大学	Qīnghuá Dàxué	Tsinghua University
3	上海	Shànghǎi	Shanghai
4	北京饭店	Běijīng Fàndiàn	Beijing Hotel
5	北京	Běijīng	Beijing

五 语法 Grammar

1. 连动句 The sentence with verbal constructions in series

在动词谓语句中，几个动词或动词短语连用，且有同一主语，这样的句子叫连动句。例如：

If a sentence with a verbal predicate is composed of several verbs or verbal phrases which share the same subject, it is known as the sentence with verbal constructions in series, e.g.

① 下午我去他家看他。（第6课）　② 王林常去看电影。

③ 星期天大卫来我家玩儿。　④ 我去他宿舍看他。

2. 状语 Adverbial adjuncts

动词、形容词前面的修饰成分叫状语。副词、形容词、时间词、介词结构等都可作状语。例如：

The modifying elements before verbs and adjectives are known as adverbial adjuncts. Adverbs, adjectives, time words and prepositional constructions can all be used as adverbial adjuncts, e.g.

① 她常去我家玩儿。　　　② 你们快来。

③ 我们上午去。（第6课）　　④ 他姐姐在银行工作。

六 练 习 Exercises

1. 熟读下列词语并选择几个造句　Read up on the following expressions and make sentences with some of them

2. 按照实际情况回答问题　Answer the following questions according to the actual situations

（1）你家在哪儿？你的宿舍在哪儿？

（2）你住在几号楼？多少号房间？

（3）星期天你常去哪儿？晚上你常做什么？你常写信吗？

3. 用下列词语造句　Make sentences with each pair of words given below

例 Example　家　　在 ➡ 王老师的家在北京大学。

（1）商店　　在 ➡ _____

（2）谁　认识 → ....

（3）一起　听 → ....

4. 谈一谈　Say what you can

介绍一下儿你的一个朋友。

Say something about a friend of yours.

提示　他/她住在哪儿，在哪儿学习或工作，等等。

Suggested points　Where does he/she live? Where does he/she study or work?

5. 语音练习　Phonetic drills

（1）读下列词语：第二声+第一声　Read the following words: 2nd tone + 1st tone

míngtiān	（明天）	zuótiān	（昨天）
jié hūn	（结婚）	fángjiān	（房间）
máoyī	（毛衣）	pángbiān	（旁边）
qiántiān	（前天）	shíjiān	（时间）
hóng huā	（红花）	huí jiā	（回家）

（2）常用音节练习　Drills on the frequently used syllables

wo	niǎowō	（鸟窝）	ru	rúguǒ	（如果）
	wǒmen	（我们）		bǔrǔ	（哺乳）
	wò shǒu	（握手）		rù xué	（入学）

10 邮局在哪儿

WHERE IS THE POST OFFICE

一 句子 Sentences

053
八号楼在邮局旁边。
Bā hào lóu zài yóujú pángbiān.
Building No. 8 stands next to the post office.

054
去八号楼怎么走？
Qù bā hào lóu zěnme zǒu?
Which way leads to Building No. 8?

055
那个楼就是八号楼。 That's Building No. 8.
Nà ge lóu jiù shì bā hào lóu.

056
请问，邮局在哪儿？
Qǐngwèn, yóujú zài nǎr?
Excuse me, but could you please tell me where the post office is?

057
往 前走就是邮局。
Wǎng qián zǒu jiù shì yóujú.
The post office is just down the road.

058
邮局离这儿远不远？
Yóujú lí zhèr yuǎn bu yuǎn?
Is the post office far from here?

059 | 百货大楼在什么地方？
Bǎihuò Dàlóu zài shénme dìfang?
Where is the Department Store?

060 | 在哪儿坐车？ Where is the bus stop?
Zài nǎr zuò chē?

二 会 话 Conversations

1

A: 请问，八号楼在哪儿？
Qǐngwèn, bā hào lóu zài nǎr?

刘京: 在邮局旁边。
Liú Jīng: Zài yóujú pángbiān.

A: 去八号楼怎么走？
Qù bā hào lóu zěnme zǒu?

刘京: 你看，那个楼就是[2]。
Liú Jīng: Nǐ kàn, nà ge lóu jiù shì.

2

和子: 请问，邮局在哪儿？
Hézǐ: Qǐngwèn, yóujú zài nǎr?

B: 往前走就是邮局。
Wǎng qián zǒu jiù shì yóujú.

和子: 离这儿远不远？
Hézǐ: Lí zhèr yuǎn bu yuǎn?

B: 不太远。就在银行前边。[2]
Bú tài yuǎn. Jiù zài yínháng qiánbian.

3

玛丽： 请问，百货大楼在什么地方？
Mǎlì: Qǐngwèn, Bǎihuò Dàlóu zài shénme dìfang?

C： 在王府井。
Zài Wángfǔjǐng.

玛丽： 离天安门远不远？
Mǎlì: Lí Tiān'ānmén yuǎn bu yuǎn?

C： 不远。您怎么去？
Bù yuǎn. Nín zěnme qù?

玛丽： 坐公共汽车。
Mǎlì: Zuò gōnggòng qìchē.

请问在哪儿坐车？
Qǐngwèn zài nǎr zuò chē?

C： 就在那儿。②
Jiù zài nàr.

玛丽： 谢谢！
Mǎlì: Xièxie!

注释　Notes

❶ 请问，邮局在哪儿？
Excuse me, but could you please tell me where the post office is?
"请问" 是向别人提问时的客套语。一定要用在提出问题之前。
"请问" (Could you please tell me...) is a polite expression for making an inquiry of somebody about something. It is used before the actual question.

❷ 那个楼就是。It's the building right over there.
就在银行前边。Right in front of the bank.
就在那儿。Right over there.
这三句中的副词 "就" 都是用来加强肯定语气的。
The adverb "就" in the sentences is used to heighten the positive tone.

三 替换与扩展 **Substitution and Extension**

📍 替换 Substitution

（1）A：八号楼在哪儿？ 　　B：在<u>邮局旁边</u>。	≫≪	留学生食堂西边 那个楼南边 他的宿舍楼北边 操场东边	

（2）<u>邮局</u>离<u>这儿</u>远不远？	≫≪	他家 北京饭店 食堂	北京语言大学 这儿 宿舍

（3）在哪儿<u>坐车</u>？	≫≪	学习汉语 吃饭 买电脑	工作 休息

📍 扩展 Extension

> 他 爸 爸 在 商 店 工 作。那 个 商 店 离 他 家
> Tā bàba zài shāngdiàn gōngzuò. Nà ge shāngdiàn lí tā jiā
> 很 近。他 爸 爸 早 上 七 点 半 去 工 作，下 午 五
> hěn jìn. Tā bàba zǎoshang qī diǎn bàn qù gōngzuò, xiàwǔ wǔ
> 点 半 回 家。
> diǎn bàn huí jiā.

四 生 词 New Words

1	怎么	zěnme	代	how
2	走	zǒu	动	to go, to walk
3	就	jiù	副	right
4	请问	qǐngwèn	动	please (tell me...), could you tell me...
5	往	wǎng	介/动	to, towards; to go
6	前	qián	名	front, before
7	离	lí	动	to be away from (a place)
8	这儿	zhèr	代	here
9	远	yuǎn	形	far
10	地方	dìfang	名	place, region
11	坐	zuò	动	to sit, to take a seat
12	车	chē	名	bus, car, bicycle, train, etc.
13	前边	qiánbian	名	front
14	公共汽车	gōnggòng qìchē		bus
15	那儿	nàr	代	there, over there
16	西边	xībian	名	west side
17	南边	nánbian	名	south side
18	北边	běibian	名	north side
19	操场	cāochǎng	名	sports ground
20	东边	dōngbian	名	east side
21	近	jìn	形	near

📍 专名 Proper Nouns

1	百货大楼	Bǎihuò Dàlóu	the Department Store
2	王府井	Wángfǔjǐng	Wangfujing Street
3	天安门	Tiān'ānmén	Tian'anmen

五 语 法 Grammar

1. 方位词 Words of location

"旁边""前边"等都是方位词。方位词是名词的一种，可以作主语、宾语、定语等句子成分。方位词作定语时，一般要用"的"与中心语连接。例如：东边的房间、前边的商店。

"旁边" and "前边" are words of location, which make up a subclass of nouns. They may serve as such sentence elements as subjects, objects and attributives. When used as attributives, they are normally linked with the headword with "的", e.g. "东边的房间" (the room in the east side), "前边的商店" (the shop in front).

2. 正反疑问句 The affirmative-negative question

将谓语中的动词或形容词的肯定式和否定式并列，就构成了正反疑问句。例如：

An affirmative-negative question is formed by juxtaposing the verb or adjective of the predicate and its negative form, e.g.

① 你今天来不来？　　② 这个电影好不好？

③ 这是不是你们的教室？　　④ 王府井离这儿远不远？

六 练 习 Exercises

1. 选词填空 Fill in the blanks with the appropriate words

> 去　　在　　离　　回　　买　　往

（1）八号楼 _____ 九号楼不太远。

（2）食堂 _____ 宿舍旁边。

（3）邮局很近， _____ 前走就是。

（4）今天晚上我不学习， _____ 家看电视。

（5）我们 _____ 宿舍休息一下儿吧。

（6）这本（běn, *a measure word*）书很好，你 _____ 不 _____ ？

2. 判断正误 Judge whether the following statements are correct or not

（1）我哥哥在学校工作。（　　）　（2）操场宿舍很近。　　　　（　　）

　　我哥哥工作在学校。（　　）　　　操场离宿舍很近。　　　（　　）

（3）我在食堂吃早饭。　（　　）　（4）他去银行早上八点半。（　　）

　　我吃早饭在食堂。　（　　）　　　他早上八点半去银行。（　　）

3. 按照实际情况回答问题 Answer the following questions according to the actual situations

（1）谁坐在你旁边？谁坐在你前边？

（2）谁住在你旁边的房间？

（3）你知道邮局、银行在哪儿吗？怎么走？

4. 听后复述 Listen and retell 🔘

　　邮局离银行不远，我常去那儿买邮票、寄（jì, *to post*）信。书店在银行旁边。那个书店很大，书很多，我常去那儿买书。

5. 语音练习 Phonetic drills

(1) 读下列词语：第二声+第二声 Read the following words: 2nd tone + 2nd tone

liú xué	（留学）	yínháng	（银行）
zhíyuán	（职员）	xuéxí	（学习）
shítáng	（食堂）	huídá	（回答）
tóngxué	（同学）	rénmín	（人民）
wénmíng	（文明）	értóng	（儿童）

(2) 常用音节练习 Drills on the frequently used syllables

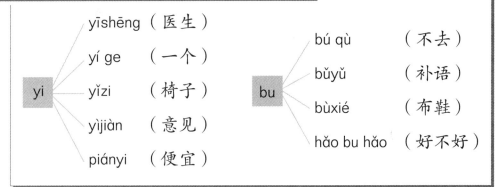

yi
- yīshēng （医生）
- yí ge （一个）
- yǐzi （椅子）
- yìjiàn （意见）
- piányi （便宜）

bu
- bú qù （不去）
- bǔyǔ （补语）
- bùxié （布鞋）
- hǎo bu hǎo （好不好）

(3) 朗读会话 Read aloud the conversation

A: Qǐngwèn, Běijīng Dàxué zài nǎr?

B: Zài Qīnghuá Dàxué xībian.

A: Qīnghuá Dàxué dōngbian shì Yǔyán Dàxué ma?

B: Duì. Zhèr yǒu hěn duō dàxué. Yǔyán Dàxué nánbian hái
   yǒu hǎojǐ （several） ge dàxué.

A: Cóng zhèr wǎng běi zǒu, dàxué bù duō le, shì bu shì?

B: Shì de.

复习（二）

REVIEW (II)

一 会 话 Conversations 💿

1

王：小卫（Xiǎo Wèi, Little Wei），我们什么时候去小李家？

卫：星期天，好吗？

王：好。他家在上海饭店（Shànghǎi Fàndiàn, Shanghai Hotel）旁边吧？

卫：他搬家（bān jiā, to move）了，现在在中华路（Zhōnghuá Lù, Zhonghua Road）38号。你认识那个地方吗？

王：不认识，问一下儿小马吧。

2

卫：小马，中华路在什么地方？你知道吗？

马：中华路离我奶奶（nǎinai, grandma）家很近。你们去那儿做什么？

王：看一个朋友。那儿离这儿远吗？

马：不太远。星期天我去奶奶家，你们和我一起去吧。

3

王：小马，你奶奶不和你们住在一起吗？

马：不住在一起。奶奶一个人住，我和爸爸、妈妈常去看她。

卫：你奶奶身体好吗？

马：身体很好。她今年六十七岁了。前边就是我奶奶家，你们去坐一
会儿（yíhuìr, in a moment）吧！

王：十点了，我们不去了。

马：再见！

卫、王：再见！

二 语 法 **Grammar**

句子的主要成分 The main elements of a sentence

1. 主语和谓语 The subject and the predicate

句子一般可分为主语和谓语两大部分。主语一般在谓语之前。例如：

A sentence is normally divided into two parts, the subject and the predicate. Generally, the subject precedes the predicate, e.g.

> ① 你好！　　　　② 我去商店。

如果语言环境清楚，主语或谓语可省略。例如：

If the language context is clear, the subject or predicate can be omitted, e.g.

> ③ A：你好吗？　　④ A：谁是学生？
>
>　　 B：（我）很好。　　 B：他（是学生）。

2. 宾语 The object

宾语是动词的连带成分，一般在动词后边。例如：

The object is an element related to a verb and usually follows the verb, e.g.

> ① 我认识他。　　　② 他有一个哥哥。
>
> ③ 他是学生。

3. 定语 The attributive

定语一般都修饰名词。定语和中心语之间有时用结构助词"的"，例如：王兰的朋友；有时不用，例如：我姐姐、好朋友（见第五课语法 2 ）。

An attributive usually modifies a noun. Sometimes, the structural particle "的" is needed between the attributive and the headword, e.g. "王兰的朋友"; at other times, however, it is not required, e.g. "我姐姐", "好朋友" (see Grammar, Sec. 2 of Lesson 5).

4. 状语 The adverbial adjunct

状语是用来修饰动词或形容词的。一般要放在中心语的前边。例如：

An adverbial adjunct is used to modify a verb or an adjective. It usually precedes the part which is being modified, e.g.

> ① 我很好。　　　　② 他们都来。
>
> ③ 他在家看电视。

三 练 习 Exercises

1. 回答问题 Answer the following questions

（1）一年有几个月？一个月有几个星期？一个星期有几天（tiān, day）？

（2）今天几月几号？明天星期几？星期天是几月几号？

（3）你家有几口人？他们是谁？你妈妈工作不工作？你住在哪儿？
　　你家离学校远不远？

2. 用下面的句子练习会话 Make conversations with the sentences given below

（1）问候 Greet each other

> 你好！　　　　　　你早！　　　　　　你……身体好吗？
>
> 你好吗？　　　　　早上好！　　　　　他好吗？
>
> 你身体好吗？　　　你工作忙不忙？

（2）相识、介绍　Get to know each other

您贵姓？　　　　　　他姓什么？　　　　　我介绍一下儿。

你叫什么名字？　　　他是谁？　　　　　　我叫……

你是——　　　　　　　　　　　　　　　我是……

　　　　　　　　　　　　　　　　　　　这是……

　　　　　　　　　　　　　　　　　　　认识你很高兴。

（3）询问　Make an inquiry

A. 问时间　About time

……几月几号星期几？

……几点？

你的生日……？

你几点……？

你什么时候……？

B. 问路　About the way

……去哪儿？

去……怎么走？

……离这儿远吗？

C. 问住址　About an address

你家在哪儿？

你住在哪儿？

你住在多少号房间？

D. 问家庭　About family

你家有几口人？

你家有什么人？

你家有谁？

你有……吗？

你……做什么工作？

3. 语音练习 Phonectic drills

（1）声调练习：第二声+第二声 Drills on tones: 2nd tone + 2nd tone

tóngxué （同学）

nán tóngxué （男同学）

nán tóngxué lái （男同学来）

nán tóngxué lái wánr （男同学来玩儿）

（2）朗读会话 Read aloud the conversation

A: Yóujú lí zhèr yuǎn ma?

B: Bú tài yuǎn, jiù zài nàr.

A: Nà ge yóujú dà bu dà?

B: Hěn dà. Nǐ jì dōngxi ma?

A: Duì, hái mǎi míngxìnpiàn (postcard).

四 阅读短文 Reading Passage

张丽英家有四口人：爸爸、妈妈、姐姐和她。

她爸爸是大夫，五十七岁了，身体很好。他工作很忙，星期天常常不休息。

她妈妈是银行职员，今年五十五岁。

她姐姐是老师，今年二月结婚了。她姐姐不住在爸爸妈妈家。

昨天是星期五，下午没有课。我们去她家了。她家在北京饭店旁边。我们到（dào, to arrive）她家的时候，她爸爸、妈妈不在家。我们和她一起谈话（tán huà, to talk）、听音乐、看电视……

五点半张丽英的爸爸、妈妈回家了。她姐姐也来了。我们在她家吃晚饭。晚上八点半我们就回学校了。

xūyào
需要（1）
NEEDS

11 我要买橘子
I WANT TO BUY SOME ORANGES

一 句子 Sentences

061 您要什么？ What would you like?
Nín yào shénme?

062 苹果多少钱一斤？
Píngguǒ duōshao qián yì jīn?
How much is a *jin* of apples?

063 七块五（毛）②一斤。
Qī kuài wǔ (máo) yì jīn.
Seven *yuan* and fifty *fen* a *jin*.

064 您要多少？ How much would you like?
Nín yào duōshao?

065 您还要别的吗？ What else do you want?
Nín hái yào bié de ma?

066 不要了。 Nothing else.
Bú yào le.

067 我要买橘子。 I want to buy some oranges.
Wǒ yào mǎi júzi.

068 您 尝 尝 。 Please have a taste.
Nín chángchang.

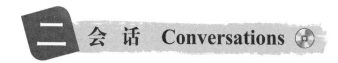

二 会 话 **Conversations**

1

售货员： 您 要 什 么 ？
Shòuhuòyuán: Nín yào shénme?

大卫： 我 要 苹 果 。 多 少 钱 一 斤 ？
Dàwèi: Wǒ yào píngguǒ. Duōshao qián yì jīn?

售货员： 七 块 五 （ 毛 ） 。
Shòuhuòyuán: Qī kuài wǔ (máo).

大卫： 那 种 呢 ？
Dàwèi: Nà zhǒng ne?

售货员： 九 块 三 。
Shòuhuòyuán: Jiǔ kuài sān.

大卫： 要 这 种 吧 。
Dàwèi: Yào zhè zhǒng ba.

售货员： 要 多 少 ？
Shòuhuòyuán: Yào duōshao?

大卫： 两 斤 。
Dàwèi: Liǎng jīn.

售货员： 还 要 别 的 吗 ？
Shòuhuòyuán: Hái yào bié de ma?

大卫： 不 要 了 。
Dàwèi: Bú yào le.

2

售货员： 您 要 买 什么？
Shòuhuòyuán: Nín yào mǎi shénme?

玛丽： 我 要 买 橘子。 一 斤 多少 钱？ ①
Mǎlì: Wǒ yào mǎi júzi. Yì jīn duōshao qián?

售货员： 六 块 八。
Shòuhuòyuán: Liù kuài bā.

玛丽： 太 贵 了。
Mǎlì: Tài guì le.

售货员： 那 种 便 宜。
Shòuhuòyuán: Nà zhǒng piányi.

玛丽： 那 种 好 不 好？
Mǎlì: Nà zhǒng hǎo bu hǎo?

售货员： 您 尝 尝。
Shòuhuòyuán: Nín chángchang.

玛丽： 好， 我 要 四 个。
Mǎlì: Hǎo, wǒ yào sì ge.

售货员： 这 是 一 斤 半， 八 块 五 毛。 还 买
Shòuhuòyuán: Zhè shì yì jīn bàn, bā kuài wǔ máo. Hái mǎi

别 的 吗？
bié de ma?

玛丽： 不 要 了。
Mǎlì: Bú yào le.

注释 Notes

❶ 苹果多少钱一斤？ How much is a *jin* of apples?

（橘子）一斤多少钱？ How much is a *jin* (of oranges)?

这两句的句意相同，都是询问一斤的价钱。只是前句侧重"多少钱"能买一斤；后句侧重"一斤"需要多少钱。

Both sentences make an inquiry about the price of a *jin* and are thus the same in meaning. However, the first lays stress on "多少钱" (i.e., the cost), while the second gives emphasis to "一斤" (i.e., the weight).

❷ 七块五（毛）。 Seven *yuan* and fifty *fen*.

人民币的计算单位是"元、角、分"，口语里常用"块、毛、分"，都是十进位。处于最后一位的"毛"或"分"可以省略不说。例如：

"元"，"角" and "分" are the monetary units of Renminbi (the Chinese currency), which adopts the decimal system. In colloquial Chinese, however, the use of "块"，"毛"，"分" is more preferable. "毛" and "分" may be omitted when they are at the end, e.g.

1.30元 → 一块三　　2.85元 → 两块八毛五

三 替换与扩展 **Substitution and Extension**

📍 **替换 Substitution**

（1）A：您要什么？　

　　　B：我要 苹果。

看	汉语书
喝	（可口）可乐
听	录音
学习	汉语

（2）你尝尝。

看	听	问

（3）我要买橘子。

看电视	吃苹果	喝水
上网	发电子邮件	

📍 扩展 Extension

（1）我 常 去 百 货 大 楼 买 东 西。那 儿 的
Wǒ cháng qù Bǎihuò Dàlóu mǎi dōngxi. Nàr de

东 西 很 多，也 很 便 宜。
dōngxi hěn duō, yě hěn piányi.

（2）A：你要喝什么？
Nǐ yào hē shénme?

B：有可乐吗？
Yǒu kělè ma?

A：有。
Yǒu.

B：要 两 瓶 吧。
Yào liǎng píng ba.

四 生 词 New Words 💿

1	要	yào	动/能愿	to want; would like
2	苹果	píngguǒ	名	apple
3	钱	qián	名	money, currency
4	斤	jīn	量	*jin (unit of weight)*
5	块（元）	kuài (yuán)	量	*kuai (unit of currency)*
6	毛（角）	máo (jiǎo)	量	*mao (unit of currency)*
7	还	hái	副	still
8	别的	bié de		anything else, other
9	橘子	júzi	名	orange

10	尝	cháng	动	to taste
11	售货员	shòuhuòyuán	名	shop assistant
12	种	zhǒng	量	kind, sort
13	贵	guì	形	expensive
14	便宜	piányi	形	inexpensive, cheap
15	喝	hē	动	to drink
16	录音	lùyīn	名	recording
17	发	fā	动	to send
18	电子邮件	diànzǐ yóujiàn		e-mail
19	多	duō	形	much, many
20	瓶	píng	名	bottle

📍 专名 Proper Noun

| （可口）可乐 | (Kěkǒu-) kělè | (Coca-) Cola |

五 语 法 Grammar

1. 语气助词"了"（1） The modal particle "了"（1）

语气助词"了"有时表示情况有了变化。例如：

The modal particle "了" sometimes denotes that the situation has changed, e.g.

① 这个月我不忙了。（以前很忙）

② 现在他有工作了。（以前没有工作）

2.动词重叠 Reduplication of verbs

汉语中某些动词可以重叠。动词重叠表示动作经历的时间短促或轻松、随便；有时也表示尝试。单音节动词重叠的形式是"AA"，例如：看看、听听、尝尝；双音节动词重叠的形式是"ABAB"，例如：休息休息、介绍介绍。

In the Chinese language, certain verbs may be reduplicated to denote short duration or ease and casualness of an act. Sometimes they mean to have a try. The form of reduplication for a monosyllabic verb is "AA", e.g. "看看", "听听", "尝尝", while the form of reduplication for a disyllabic verb is "ABAB", e.g. "休息休息", "介绍介绍".

六 练 习 Exercises

1.用汉语读出下列钱数 Read the following sums in Chinese

6.54元	10.05元	2.30元	8.20元	42.52元
1.32元	9.06元	57.04元	100元	24.9元

一百

2.用动词的重叠式造句 Make sentences with the reduplicated verb forms

例 Example 问 → 问问老师，明天上课吗？

介绍　　看　　听　　学习　　休息　　玩儿
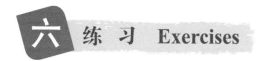

3.给括号中的词语选择适当的位置 Insert the given words in the brackets into the following sentences at suitable places

（1）我姐姐不去 A 书店 B。（了）

（2）他明天不来 A 上课 B。（了）

（3）您还 A 要 B 吗？（别的）

（4）这是两 A1 斤 B1，还 A2 买 B2 吗？（半，别的）

4.完成对话 Complete the following conversations

（1）A：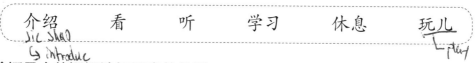

B：一瓶可乐三块五毛钱。

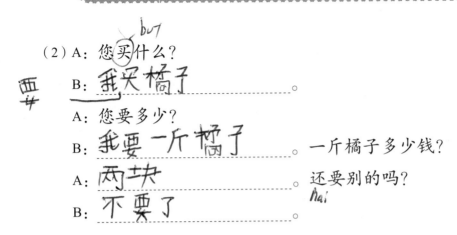

（2）A：您买什么？ ~~but~~

西 B：我买橘子

A：您要多少？

B：我要一斤橘子 。 一斤橘子多少钱？

A：两块 。 还要别的吗？

B：不要了 。 hái

5. 听后复述 Listen and retell

我要买汉语书，不知道去哪儿买。今天我问王兰，她说（shuō, to say），新华书店（Xīnhuá Shūdiàn, Xinhua Bookstore）有，那儿的汉语书很多。明天下午我去看看。

6. 语音练习 Phonetic drills

（1）读下列词语：第二声+第三声 Read the following words: 2nd tone + 3rd tone

píjiǔ （啤酒）	píngguǒ （苹果）
yóulǎn （游览）	shíjiǔ （十九）
méi yǒu （没有）	jiéguǒ （结果）
máobǐ （毛笔）	tíngzhǐ （停止）
cídiǎn （词典）	shípǐn （食品）

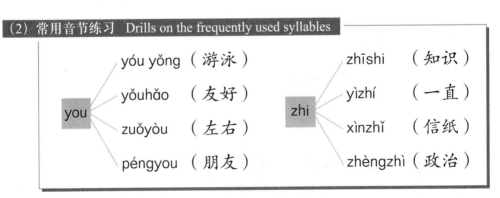

（2）常用音节练习 Drills on the frequently used syllables

you
- yóu yǒng （游泳）
- yǒuhǎo （友好）
- zuǒyòu （左右）
- péngyou （朋友）

zhi
- zhīshi （知识）
- yìzhí （一直）
- xìnzhǐ （信纸）
- zhèngzhì （政治）

xūyào
需要（2）
NEEDS

12 我想买毛衣
I WANT TO BUY A SWEATER

一 句 子 Sentences

069 天 冷 了。 It is getting cold.
Tiān lěng le.

070 我 想 买 件 毛 衣。 I want to buy a sweater.
Wǒ xiǎng mǎi jiàn máoyī.

071 星 期 天 去， 怎 么 样？
Xīngqītiān qù, zěnmeyàng?
What about going there on Sunday?

072 星 期 天 人 太 多。 It is too crowded on Sunday.
Xīngqītiān rén tài duō.

073 我 看 看 那 件 毛 衣。
Wǒ kànkan nà jiàn máoyī.
I want to have a look at that sweater.

074 这 件 毛 衣 我 可 以 试 试 吗？
Zhè jiàn máoyī wǒ kěyǐ shìshi ma?
Can I try on this sweater?

075 | 这件毛衣不大也不小。
Zhè jiàn máoyī bú dà yě bù xiǎo.
This sweater is just the right size.

076 | 好极了！ ② Wonderful!
Hǎo jí le!

二 会 话 Conversations

1

大卫: 天 冷 了。我 想 买 件 毛 衣。
Dàwèi: Tiān lěng le. Wǒ xiǎng mǎi jiàn máoyī.

玛丽: 我 也 要 买 东 西。我 们 什 么 时 候 去?
Mǎlì: Wǒ yě yào mǎi dōngxi. Wǒmen shénme shíhou qù?

大卫: 星 期 天 去，怎 么 样?
Dàwèi: Xīngqītiān qù, zěnmeyàng?

玛丽: 星 期 天 人 太 多。
Mǎlì: Xīngqītiān rén tài duō.

大卫: 那 明 天 下 午 去 吧。
Dàwèi: Nà míngtiān xiàwǔ qù ba.

2

大卫: 小 姐，我 看 看 那 件 毛 衣。
Dàwèi: Xiǎojiě, wǒ kànkan nà jiàn máoyī.

售货员: 好。
Shòuhuòyuán: Hǎo.

大卫：我可以试试吗？
Dàwèi: Wǒ kěyǐ shìshi ma?

售货员：您试一下儿吧。
Shòuhuòyuán: Nín shì yíxiàr ba.

玛丽：这件太短了。③
Mǎlì: Zhè jiàn tài duǎn le.

售货员：您试试那件。
Shòuhuòyuán: Nín shìshi nà jiàn.

大卫：好，我再试一下儿。
Dàwèi: Hǎo, wǒ zài shì yíxiàr.

玛丽：这件不大也不小。
Mǎlì: Zhè jiàn bú dà yě bù xiǎo.

大卫：好极了，我就买这件。
Dàwèi: Hǎo jí le, wǒ jiù mǎi zhè jiàn.

注释　Notes

❶ **我想买件毛衣。** I want to buy a sweater.

量词前的数词"一"如不在句首，可以省略。所以"买一件毛衣"可以说成"买件毛衣"。

The numeral "一" before a measure word may be omitted if it does not occur at the beginning of a sentence. So "买一件毛衣" may be said as "买件毛衣".

❷ **好极了！** Wonderful!

"极了"用在形容词或某些状态动词后，表示达到最高程度。例如：累极了、高兴极了、喜欢（xǐhuan）极了。

"极了" after adjectives or certain stative verbs denotes "to the highest degree", e.g. "累极了", "高兴极了", "喜欢（to like, to enjoy）极了".

❸ **这件太短了。** This one is too short.

句中省略了中心语"毛衣"。在语言环境清楚时，中心语可以省略。

The headword "毛衣" in the sentence is omitted. When the language context is clear, the headword may be omitted.

替换与扩展 Substitution and Extension

📍 替换 Substitution

(1) 我想<u>买毛衣</u>。	≫ ≪	学习汉语	看电影
		发短信	喝水

(2) 我<u>看看</u>那<u>件</u> <u>毛衣</u>。	≫ ≪	写	课	生词
		穿	件	衣服
		尝	种	橘子

(3) 这<u>件</u> <u>毛衣</u>不<u>大</u>也不<u>小</u>。	≫ ≪	件	衣服	长	短
		课	生词	多	少

📍 扩展 Extension

(1) 今 天 的 工 作 很 多 , 我 累 极 了 。
　　Jīntiān de gōngzuò hěn duō, wǒ lèi jí le.

(2) 那 个 电 影 不 太 好 , 我 不 想 看 。
　　Nà ge diànyǐng bú tài hǎo, wǒ bù xiǎng kàn.

(3) 请 你 介 绍 介 绍 北 京 吧 。
　　Qǐng nǐ jièshào jièshào Běijīng ba.

四 生 词 New Words

1	天	tiān	名	weather, sky
2	冷	lěng	形	cold
3	想	xiǎng	动/能愿	to think; would like
4	件	jiàn	量	piece
5	毛衣	máoyī	名	sweater
6	怎么样	zěnmeyàng	代	how, what about...
7	可以	kěyǐ	能愿	can, may
8	试	shì	动	to try on, to test
9	大	dà	形	big, large
10	小	xiǎo	形	little, small
11	……极了	……jí le		extremely, very
12	小姐	xiǎojiě	名	miss
13	短	duǎn	形	short
14	再	zài	副	again
15	短信	duǎnxìn	名	message
16	生词	shēngcí	名	new words
17	穿	chuān	动	to wear, to put on
18	衣服	yīfu	名	dress, clothes
19	长	cháng	形	long
20	少	shǎo	形	little, few

五 语法 Grammar

1. 主谓谓语句 The sentence with a subject-predicate construction as its predicate

由主谓短语作谓语的句子叫主谓谓语句。主谓短语的主语所指的人或事物常跟全句的主语有关。例如：

Sentences of this type have a subject-predicate construction as its predicate. The person or thing denoted by the subject of this phrase is often related to the subject of the whole sentence, e.g.

① 他身体很好。   ② 我工作很忙。

③ 星期天人很多。

2. 能愿动词 Modal verbs

（1）能愿动词"想""要""可以""会"等常放在动词前边表示意愿、能力或可能。能愿动词的否定式是在能愿动词前加"不"。例如：

Modal verbs such as "想", "要", "可以", "会" are often put before verbs to show will, capability or possibility. The negative forms of these verbs are formed by putting "不" before them, e.g.

① 他要买书。   ② 我想回家。

③ 可以去那儿。   ④ 我不想买东西。

（2）能愿动词"要"的否定形式常用"不想"。例如：

"不想" is often used as the negative form of the modal verb "要", e.g.

⑤ A：你要喝水吗？

   B：我现在不想喝。

（3）带有能愿动词的句子，只要把能愿动词的肯定形式与否定形式并列起来，就构成了正反疑问句。例如：

For a sentence with a modal verb, its affirmative-negative (V+不+V) question is formed by juxtaposing the positive form and the negative form of that modal verb, e.g.

⑥ 你想不想去长城？   ⑦ 你会不会说汉语？

六 练 习 Exercises

1. 填入适当的量词，然后用"几"或"多少"提问　Fill in the blanks with the proper measure words and then raise questions with "几" or "多少"

例 Example 我要三_____橘子。➡ 我要三斤橘子。你要几斤橘子？

（1）我想买一_____可乐。　　➡ _____

（2）我要买两_____衣服。　　➡ _____

（3）我家有五_____人。　　　➡ _____

（4）两个苹果要五_____六_____。➡ _____

（5）这是六_____苹果。　　　➡ _____

（6）那个银行有二十五_____职员。➡ _____

（7）这课有十七_____生词。　➡ _____

2. 选择适当的词语完成句子　Complete the following sentences with the appropriate words

| 不……也不…… 　 太……了 　 ……极了 　 可以 　 想 |

（1）这种_____，那种便宜，我买那种。

（2）我很忙，今天_____，想休息休息。

（3）这件衣服_____，你穿_____。

（4）今天不上课，我们_____。

（5）明天星期天，我_____。

3. 找出错误的句子并改正　Correct the following sentences if there are any mistakes

（1）A：你要吃苹果吗？　　　（2）A：星期天你想去不去玩儿？

　　B：我要不吃苹果。　　　　　B：我想去。你想不想去？

（3）A：请问，这儿能上不上网？
　　　B：不能，这儿没有网。

（4）A：商店里人多吗？
　　　B：商店里很多人。

4. 谈你买的一件东西 Talk about a thing you've bought

提示 多少钱？贵不贵？买的时候有几种？那几种怎么样？
Suggested points How much money did you spend on it? Was it expensive? How many kinds were there at the time when you bought it? What did you think of the others?

5. 听后复述 Listen and retell

A：这是张丽英买的毛衣。她穿太小，我穿太大，你试试怎么样。
B：不长也不短，好极了。多少钱？
A：不知道。不太贵。
B：我们去问问丽英。
A：现在她不在，下午再去问吧。

6. 语音练习 Phonetic drills

(1) 读下列词语：第二声+第四声 Read the following words: 2nd tone + 4th tone

yóupiào	（邮票）	yúkuài	（愉快）
tóngzhì	（同志）	xuéyuàn	（学院）
shíyuè	（十月）	qúnzhòng	（群众）
chéngdù	（程度）	guójì	（国际）
wénhuà	（文化）	dédào	（得到）

12 我想买毛衣 | **I WANT TO BUY A SWEATER**

(2) 常用音节练习　Drills on the frequently used syllables

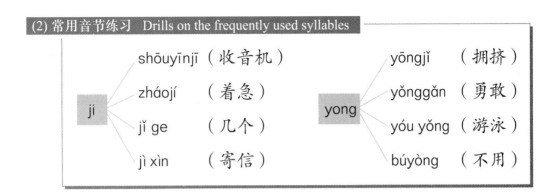

ji
- shōuyīnjī　（收音机）
- zháojí　　　（着急）
- jǐ ge　　　（几个）
- jì xìn　　　（寄信）

yong
- yōngjǐ　　　（拥挤）
- yǒnggǎn　　（勇敢）
- yóu yǒng　　（游泳）
- búyòng　　　（不用）

NEEDS **109**

xūyào
需要（3）
NEEDS

13 要换车
YOU HAVE TO CHANGE BUSES

一 句 子 Sentences

077
这 路 车 到 天 安 门 吗？
Zhè lù chē dào Tiān'ānmén ma?
Does this bus go to Tian'anmen?

078
我 买 两 张 票。 I want two tickets.
Wǒ mǎi liǎng zhāng piào.

079
给 你 五 块 钱。 Here's five *yuan*.
Gěi nǐ wǔ kuài qián.

080
到 天 安 门 还 有 几 站？
Dào Tiān'ānmén hái yǒu jǐ zhàn?
How many more stops are there before we reach Tian'anmen?

081
我 会 说 一 点 儿 汉 语。
Wǒ huì shuō yìdiǎnr Hànyǔ.
I can speak a bit of Chinese.

082
天 安 门 到 了。 Here we are at Tian'anmen.
Tiān'ānmén dào le.

083

去 语 言 大 学 要 换 车吗？
Qù Yǔyán Dàxué yào huàn chē ma?
Shall I change buses on my way to the Language and Culture University?

084

换 几 路 车？ Which bus shall I change to?
Huàn jǐ lù chē?

 会 话 **Conversations**

1

玛丽：请 问，这 路 车 到 天 安 门 吗？
Mǎlì: Qǐngwèn, zhè lù chē dào Tiān'ānmén ma?

售票员：到。上 车 吧。
Shòupiàoyuán: Dào. Shàng chē ba.

大卫：买 两 张 票。多 少 钱 一 张？
Dàwèi: Mǎi liǎng zhāng piào. Duōshao qián yì zhāng?

售票员：两 块。
Shòupiàoyuán: Liǎng kuài.

大卫：给 你 五 块 钱。
Dàwèi: Gěi nǐ wǔ kuài qián.

售票员：找 你 一 块。
Shòupiàoyuán: Zhǎo nǐ yí kuài.

玛丽：请 问，到 天 安 门 还 有 几 站？
Mǎlì: Qǐngwèn, dào Tiān'ānmén hái yǒu jǐ zhàn?

A：三 站。你 们 会 说 汉 语？②
Sān zhàn. Nǐmen huì shuō Hànyǔ?

大卫： 会 说 一 点 儿。
Dàwèi： Huì shuō yìdiǎnr.

玛丽： 我 说 汉语，你 懂 吗？
Mǎlì： Wǒ shuō Hànyǔ, nǐ dǒng ma?

A： 懂。你 们 是 哪 国 人？
Dǒng. Nǐmen shì nǎ guó rén?

大卫： 我 是 法 国 人。
Dàwèi： Wǒ shì Fǎguó rén.

玛丽： 我 是 美 国 人。
Mǎlì： Wǒ shì Měiguó rén.

售票员： 天 安 门 到 了，请 下 车。
Shòupiàoyuán： Tiān'ānmén dào le, qǐng xià chē.

2

大卫： 我 买 一 张 票。
Dàwèi： Wǒ mǎi yì zhāng piào.

售票员： 去 哪 儿？
Shòupiàoyuán： Qù nǎr?

大卫： 去 语 言 大 学。要 换 车 吗？
Dàwèi： Qù Yǔyán Dàxué. Yào huàn chē ma?

售票员： 要 换 车。
Shòupiàoyuán： Yào huàn chē.

大卫： 在 哪 儿 换 车？
Dàwèi： Zài nǎr huàn chē?

售票员： 北 京 师 范 大 学。
Shòupiàoyuán： Běijīng Shīfàn Dàxué.

大卫： 换 几 路 车？
Dàwèi： Huàn jǐ lù chē?

售票员： 换 3 3 1 路。
Shòupiàoyuán: Huàn sān sān yāo lù.

大卫： 一 张 票 多 少 钱？
Dàwèi: Yì zhāng piào duōshao qián?

售票员： 两 块。
Shòupiàoyuán: Liǎng kuài.

大卫： 谢 谢！
Dàwèi: Xièxie!

售票员： 不 谢。
Shòupiàoyuán: Bú xiè.

注释 Notes

❶ 要换车。 You have to change buses.
能愿动词 "要" 在这里表示事实上的需要。
The modal verb "要" here expresses an actual necessity.

❷ 你们会说汉语？ You can speak Chinese?
句末用升调，表示疑问语气。
The rising tone at the end of a sentence has an interrogative implication.

三 替换与扩展 Substitution and Extension

📍 替换 Substitution

（1）买两张票。

杯	可乐	张	地图
斤	橘子	个	苹果

（2）给你五块钱。　　　▶▶◀◀

他	本	书
我	个	本子
你	杯	饮料
你	个	橘子

（3）A：你是哪国人？　　　▶▶◀◀
　　　B：我是法国人。

| 中国 | 美国 | 韩国 | 英国 |
| 日本 | 印度尼西亚 | | |

📍 扩展 Extension

A：你们会说英语吗？
　　Nǐmen huì shuō Yīngyǔ ma?

B：他会说一点儿，我不会。
　　Tā huì shuō yìdiǎnr,　wǒ bú huì.

四　生词　New Words

1	路	lù	名	route, line
2	到	dào	动	to reach, to get to
3	张	zhāng	量	*a measure word for paper, painting, ticket, etc.*
4	票	piào	名	ticket
5	给	gěi	动/介	to give; for, to
6	站	zhàn	名	bus stop
7	会	huì	能愿/动	can; to be able to

8	说	shuō	动	to speak
9	一点儿	yìdiǎnr	数量	a bit, a little
10	换	huàn	动	to change
11	售票员	shòupiàoyuán	名	conductor
12	上（车）	shàng (chē)	动	to get on (the bus)
13	找	zhǎo	动	to give change
14	懂	dǒng	动	to understand
15	哪	nǎ	代	which
16	国	guó	名	nation
17	下（车）	xià (chē)	动	to get off (the bus)
18	杯	bēi	名	cup
19	地图	dìtú	名	map
20	本	běn	量	*a measure word for books of various kinds, etc.*
21	本子	běnzi	名	exercise book

📍 专名 Proper Nouns

1	法国	Fǎguó	France
2	北京师范大学	Běijīng Shīfàn Dàxué	Beijing Normal University
3	中国	Zhōngguó	China
4	韩国	Hánguó	the Republic of Korea
5	英国	Yīngguó	Britain
6	日本	Rìběn	Japan
7	印度尼西亚	Yìndùníxīyà	Indonesia

五 语 法 Grammar

1. 双宾句 The sentence with a ditransitive verb as its predicate

汉语中某些动词可以带两个宾语，前一个是间接宾语（一般指人），后一个是直接宾语（一般指事物）。这种句子叫双宾句。例如：

Some verbs in Chinese may take two objects, the first being the indirect object (normally referring to persons) and the second being the direct object (normally referring to things). Such a sentence is known as the sentence with a ditransitive verb as its predicate. e.g.

① 我给你一本书。　　　　② 他找我八毛钱。

2. 能愿动词"会" The modal verb "会"

能愿动词"会"可以表示几种不同的意思。常用的有以下两种：

The modal verb "会" has several different meanings. The following two are frequently used:

（1）通过学习掌握了某种技巧。例如：

to master a skill through learning, e.g.

① 他会说汉语。　　　　② 我不会做中国饭。

（2）表示可能性。例如：

to express possibility, e.g.

③ A：他会来吗？
　　B：现在九点半了，他不会来了。

3. 数量词作定语 Quantifiers acting as attributives

在现代汉语里，数词一般不能直接修饰名词，中间必须加上特定的量词。例如：

In modern Chinese, numerals are generally not used to modify nouns directly. One needs to put a specific measure word between them, e.g.

两张票　三个本子　五个学生

六 练 习 Exercises

1. 熟读下列短语并选择五个造句 Read up on the following expressions and make sentences with five of them

给你	找钱	吃（一）点儿	说英语
发短信	穿衣服	坐车	去商店

2. 用"在""往""去"完成句子 Complete the following sentences with "在", "往" and "去"

（1）大卫 _____ 学习汉语。

（2）我去王府井，不知道 _____ 坐车。

（3）_____ 走，就是331路车站。

（4）请问，_____ 怎么走？

（5）我 _____ ，欢迎你来玩儿。

3. 完成对话 Complete the following conversations

（1）A：你会说汉语吗？

B：_____ 。（一点儿）

（2）A：_____ ？（多少）

B：一张票四块钱。

A：给你十块。

B：_____ 。（找）

（3）A：现在晚上九点半了，他会来吗？

B：_____ 。（不）

4. 根据句中的画线部分，把句子改成用疑问代词提出问题的问句 Change the following sentences into questions by replacing the underlined parts with interrogative pronouns

（1）山下和子是日本留学生。 ➡ _____

（2）我有三个本子、两本书。 ➡ _____

（3）我认识大卫的妹妹。 ➡ _____

（4）今天晚上我去看电影。 ➡ _____

（5）我在天安门坐车。 ➡ _____

（6）他爸爸的身体好极了。 ➡ _____

5. 听后复述 Listen and retell 🔘

　　我认识一个中国朋友，他在北京大学学习。昨天我想去看他。我问刘京去北京大学怎么走。刘京说，北京大学离这儿很近，坐 375 路公共汽车可以到，我就去坐 375 路公共汽车。

　　375 路车站就在前边。车来了，我问售票员，去不去北京大学。售票员说去，我很高兴，就上车了。

6. 语音练习 Phonetic drills 🔘

(1) 读下列词语：第二声＋轻声 Read the following words: 2nd tone + neutral tone			
bié de	（别的）	pútao	（葡萄）
nán de	（男的）	lái le	（来了）
chuán shang	（船上）	júzi	（橘子）
máfan	（麻烦）	shénme	（什么）
tóufa	（头发）	liángkuai	（凉快）

(2) 常用音节练习　Drills on the frequently used syllables

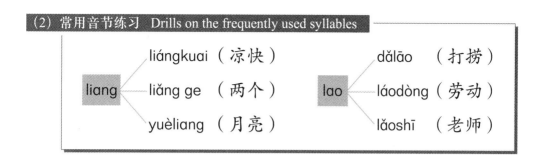

liang   liángkuai （凉快）

liǎng ge （两个）

yuèliang （月亮）

lao   dǎlāo （打捞）

láodòng （劳动）

lǎoshī （老师）

xūyào
需要（4）
NEEDS

14 我要去换钱

I AM GOING TO CHANGE MONEY

一 **句 子　Sentences**

085

钱 都 花 了。 I've run out of money.
Qián dōu huā le.

086

听 说 饭 店 里 可 以 换 钱。
Tīngshuō fàndiàn li kěyǐ huàn qián.
I hear that one can change money in a hotel.

087

这 儿 能 不 能 换 钱？
Zhèr néng bu néng huàn qián?
Is it possible to change money here?

088

您 带 的 什 么 钱？
Nín dài de shénme qián?
What kind of money have you brought with you?

089

请 您 在 这 儿 写 一 下 儿 钱 数。
Qǐng nín zài zhèr xiě yíxiàr qián shù.
Please write down the sum of money here.

090

请 数 一 数。① Please count the money.
Qǐng shǔ yi shǔ.

| 091 | 时间 不 早 了。It is getting late.
 Shíjiān bù zǎo le. |

| 092 | 我们 快 走 吧! Let us hurry.
 Wǒmen kuài zǒu ba! |

 会 话 **Conversations**

1

玛丽: 钱 都 花 了, 我 没 钱 了。我 要 去 换 钱。
Mǎlì: Qián dōu huā le, wǒ méi qián le. Wǒ yào qù huàn qián.

大卫: 听 说 饭 店 里 可 以 换 钱。
Dàwèi: Tīngshuō fàndiàn li kěyǐ huàn qián.

玛丽: 我 们 去 问 问 吧。
Mǎlì: Wǒmen qù wènwen ba.

2

玛丽: 请 问, 这 儿 能 不 能 换 钱?
Mǎlì: Qǐngwèn, zhèr néng bu néng huàn qián?

营业员: 能。您 带 的 什 么 钱?
Yíngyèyuán: Néng. Nín dài de shénme qián?

玛丽: 美 元。
Mǎlì: Měiyuán.

营业员: 换 多 少?
Yíngyèyuán: Huàn duōshao?

玛丽：五百美元。一美元换多少人民币？
Mǎlì: Wǔbǎi měiyuán. Yì měiyuán huàn duōshao rénmínbì?

营业员：六块一毛九。请您在这儿写一下儿钱数，
Yíngyèyuán: Liù kuài yī máo jiǔ. Qǐng nín zài zhèr xiě yíxiàr qián shù,

在这儿写一下儿名字。
zài zhèr xiě yíxiàr míngzi.

玛丽：这样写，对不对？
Mǎlì: Zhèyàng xiě, duì bu duì?

营业员：对。给您钱，请数一数。
Yíngyèyuán: Duì. Gěi nín qián, qǐng shǔ yi shǔ.

玛丽：谢谢！
Mǎlì: Xièxie!

大卫：时间不早了，我们快走吧！
Dàwèi: Shíjiān bù zǎo le, wǒmen kuài zǒu ba!

注释　Note

❶ 请数一数。　Please count the money.

　　"数一数"与"数数"意思相同。单音节动词重叠，中间可加"一"。例如：听一听、问一问。

　　"数一数" has the same meaning as "数数". When a monosyllabic verb is reduplicated, one may add "一" in between, e.g. "听一听", "问一问".

 替换与扩展　**Substitution and Extension**

📍 替换 Substitution

（1）听说<u>饭店里可以换钱</u>。 ▶▶◀◀	他回国了
	大卫会说汉语
	小王会一点儿英语

（2）请您<u>写</u>一下儿<u>钱数</u>。　　»» ««

问	电话号码
念	生词
写	这个汉字
等	玛丽

（3）<u>我们</u>快<u>走</u>吧！　　»» ««

你	来
你们	去
我们	吃
玛丽	写

📍 扩展 Extension

（1）没 有 时 间 了，不 等 他 了。
　　Méi yǒu shíjiān le, bù děng tā le.

（2）这 是 他 的 信。请 你 给 他。
　　Zhè shì tā de xìn. Qǐng nǐ gěi tā.

 生 词 **New Words**

1	花	huā	动	to spend
2	听说	tīngshuō	动	it is said, I hear
3	饭店	fàndiàn	名	hotel
4	里	li	名	inside
5	能	néng	能愿	can, to be able to

6	带	dài	动	to take, to bring
7	数	shù	名	number
8	数	shǔ	动	to count
9	时间	shíjiān	名	time
10	快	kuài	形	quick, rapid
11	营业员	yíngyèyuán	名	shop employee
12	美元	měiyuán	名	US dollar
13	百	bǎi	数	hundred
14	人民币	rénmínbì	名	RMB (*Chinese monetary unit*)
15	这样	zhèyàng	代	this
16	电话	diànhuà	名	telephone
17	号码	hàomǎ	名	number
18	念	niàn	动	to read
19	汉字	Hànzì	名	Chinese character
20	等	děng	动	to wait

五 语 法 Grammar

1. 兼语句 The pivotal sentence

　　谓语由两个动词短语组成，前一个动词的宾语同时又是后一个动词的主语，这种句子叫兼语句。兼语句的动词常常是带有使令意义的动词，如"请""让（ràng）""叫"等。例如：

　　A sentence is called a pivotal sentence if its predicate consists of two verb phrases with the object of the first verb functioning at the same time as the subject of the second verb. In such a sentence, the first verb often has a causative meaning. "请", "让 (to let)", "叫", etc., are verbs of this type, e.g.

> ① 请您写一下儿名字。　　② 请他吃饭。

2. 语气助词"了"（2）　The modal particle "了" (2)

（1）有时"了"表示某件事或某种情况已经发生。试比较下面两组对话：

Sometimes, "了" is used to denote that a certain event or situation has already taken place. Please compare the following two dialogues:

> ① A：你去哪儿？　　　　② A：你去哪儿了？
>
> 　 B：我去商店。　　　　　 B：我去商店了。
>
> 　 A：你买什么？　　　　　 A：你买什么了？
>
> 　 B：我买苹果。　　　　　 B：我买苹果了。

第 ① 组对话没用"了"，表示"去商店""买苹果"这两件事尚未发生；第 ② 组用"了"，表示这两件事已经发生了。

In the first dialogue "了" doesn't show up, which shows that the two events "去商店" and "买苹果" have not yet happened, but in the second dialogue "了" is used, which shows that the above-mentioned events have already taken place.

（2）带语气助词"了"的句子，其否定形式是在动词前加副词"没（有）"，去掉句尾的"了"。正反疑问句是在句尾加上"……了没有"，或者并列动词的肯定形式和否定形式"……没……"。例如：

The negative form of the sentence with the modal particle "了" is realized by putting the adverb "没（有）" before the verb while omitting "了" at the end of the sentence. To form an affirmative-negative question, one adds "……了没有" at the end of the sentence or juxtaposes the affirmative and negative forms of the verb like this: "……没……". e.g.

> ③ 他没去商店。　　　　④ 我没买苹果。
>
> ⑤ 你吃饭了没有？　　　⑥ 你吃没吃饭？

六 练习 Exercises

1. 用"要""想""能""会""可以"和括号中的词语完成句子 Complete the following sentences with "要", "想", "能", "会", "可以" and the words in the brackets

（1）明天我有课，＿＿＿＿＿＿＿＿＿＿＿＿＿＿。（玩儿）

（2）听说那个电影很好，＿＿＿＿＿＿＿＿＿＿＿。（看）

（3）你＿＿＿＿＿＿＿＿＿＿吗？（说）

（4）这个本子不太好，＿＿＿＿＿＿＿＿＿？（换）

（5）现在我＿＿＿＿＿＿＿＿＿，请你明天再来吧。（上课）

2. 用"再""可以""会""想"填空 Fill in the blanks with "再", "可以", "会" and "想"

这个汉字我不＿＿＿＿＿写。张老师说，我＿＿＿＿＿去问他。我＿＿＿＿＿明天去。大卫说，张老师很忙，明天不要去，星期天＿＿＿＿＿去吧。

3. 改正下面的错句 Correct the mistakes in the following sentences

（1）昨天我没给你发短信了。　　➡ ＿＿＿＿＿＿＿＿＿＿＿＿

（2）他常常去食堂吃饭了。　　　➡ ＿＿＿＿＿＿＿＿＿＿＿＿

（3）昨天的生词很多了。　　　　➡ ＿＿＿＿＿＿＿＿＿＿＿＿

（4）昨天我不去商店，明天我去商店了。➡ ＿＿＿＿＿＿＿＿＿＿＿＿

4. 完成对话 Complete the following conversations

（1）A：＿＿＿＿＿＿＿＿＿＿＿？

　　B：我去朋友家了。

　　A：＿＿＿＿＿＿＿＿＿＿＿？

　　B：现在我回学校。

（2）A：_____，好吗？

B：好。你等一下儿，我去换件衣服。

A：_____。

B：这件衣服_____?

A：很好，我们走吧。

5. 听后复述 Listen and retell

　　和子想换钱。她听说学校的银行能换，就去了。营业员问她带的什么钱，要换多少，还说要写一下儿钱数和名字。和子都写了。换钱的时候，和子对营业员说："对不起，我忘（wàng, to forget）带钱了。"

6. 语音练习 Phonetic drills

(1) 读下列词语：第三声+第一声　Read the following words: 3rd tone + 1st tone

Běijīng	（北京）	shǒudū	（首都）
hǎochī	（好吃）	měi tiān	（每天）
lǎoshī	（老师）	kǎoyā	（烤鸭）
qǐfēi	（起飞）	jiǎndān	（简单）
hěn gāo	（很高）	huǒchē	（火车）

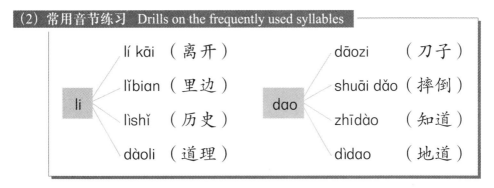

(2) 常用音节练习　Drills on the frequently used syllables

li
- lí kāi　（离开）
- lǐbian　（里边）
- lìshǐ　（历史）
- dàoli　（道理）

dao
- dāozi　（刀子）
- shuāi dǎo（摔倒）
- zhīdào　（知道）
- dìdao　（地道）

xūyào
需要（5）
NEEDS

15 我要照张相

I WANT TO TAKE A PICTURE

一 句 子 Sentences

093
这 是 新 出 的 明 信 片。
Zhè shì xīn chū de míngxìnpiàn.
This is a newly-issued postcard.

094
还 有 好 看 的 吗？
Hái yǒu hǎokàn de ma?
Are there any other good-looking ones?

095
这 几 种 怎 么 样？ How about these few kinds?
Zhè jǐ zhǒng zěnmeyàng?

096
请 你 帮 我 挑 几 种。Please help me choose some.
Qǐng nǐ bāng wǒ tiāo jǐ zhǒng.

097
一 种 买 一 套 吧。Give me a set each.
Yì zhǒng mǎi yí tào ba.

098
手 机 没 电 了。The mobile phone is power off.
Shǒujī méi diàn le.

099 | 你 打 通 电 话 了 吗？ Did you get through the phone?
Nǐ dǎ tōng diànhuà le ma?

100 | 她 关 机 了 。 She has turned off the mobile phone.
Tā guān jī le.

 会 话 **Conversations**

1（在邮局）

和子： 有 明 信 片 吗？
Hézǐ: Yǒu míngxìnpiàn ma?

营业员： 有 ， 这 是 新 出 的 。
Yíngyèyuán: Yǒu, zhè shì xīn chū de.

和子： 还 有 好 看 的 吗？
Hézǐ: Hái yǒu hǎokàn de ma?

营业员： 你 看 看 ， 这 几 种 怎 么 样？
Yíngyèyuán: Nǐ kànkan, zhè jǐ zhǒng zěnmeyàng?

和子： 请 你 帮 我 挑 几 种 。
Hézǐ: Qǐng nǐ bāng wǒ tiāo jǐ zhǒng.

营业员： 我 看 这 四 种 都 很 好 。
Yíngyèyuán: Wǒ kàn zhè sì zhǒng dōu hěn hǎo.

和子： 那 一 种 买 一 套 吧 。
Hézǐ: Nà yì zhǒng mǎi yí tào ba.

营业员： 还 买 别 的 吗？
Yíngyèyuán: Hái mǎi bié de ma?

和子： 不 买 了 。
Hézǐ: Bù mǎi le.

2

和子： 这个公园不错。
Hézǐ: Zhè ge gōngyuán búcuò.

张丽英： 那种花儿真好看，我要照张相。
Zhāng Lìyīng: Nà zhǒng huār zhēn hǎokàn, wǒ yào zhào zhāng xiàng.

和子： 给玛丽打个电话，叫她也来吧。
Hézǐ: Gěi Mǎlì dǎ ge diànhuà, jiào tā yě lái ba.

张丽英： 哎呀，我的手机没电了。
Zhāng Lìyīng: Āiyā, wǒ de shǒujī méi diàn le.

和子： 我打吧。
Hézǐ: Wǒ dǎ ba.

张丽英： 好。我去买点儿饮料。
Zhāng Lìyīng: Hǎo. Wǒ qù mǎi diǎnr yǐnliào.

……

张丽英： 你打通电话了吗？
Zhāng Lìyīng: Nǐ dǎ tōng diànhuà le ma?

和子： 没打通，她关机了。
Hézǐ: Méi dǎ tōng, tā guān jī le.

注释 Note

❶ 这几种怎么样？ How about these few kinds?

这里的"几"不是提问，而是表示概数——10以下的不确定的数目。例如：我有十几张明信片、教室里有几十个学生。

"几" here is not interrogative, but an approximation denoting an indefinite number under 10, e.g. "我有十几张明信片", "教室里有几十个学生".

替换与扩展 **Substitution and Extension** 💿

📍 替换 Substitution

（1）这是新<u>出</u>的<u>明信片</u>。 ≫ ≪

买	照相机	买	电脑
做	衣服	来	老师

（2）请你帮我<u>挑</u> <u>几种</u> <u>明信片</u>。 ≫ ≪

交	几元	电话费
找	几本	书
试	几件	毛衣
拿	几个	东西

（3）你<u>打</u> <u>通</u> <u>电话</u>了吗？ ≫ ≪

吃	完	饭
看	完	那本书
找	到	玛丽
买	到	电脑

📍 扩展 Extension

（1）我 给 他 发 电 子 邮 件。
　　 Wǒ gěi tā fā diànzǐ yóujiàn.

（2）我 给 东 京 的 朋 友 打 电 话。我 说 汉 语，他
　　 Wǒ gěi Dōngjīng de péngyou dǎ diànhuà. Wǒ shuō Hànyǔ, tā

不 懂；说 英 语，他 听 懂 了。
bù dǒng; shuō Yīngyǔ, tā tīng dǒng le.

生 词 New Words

1	新	xīn	形	new
2	出	chū	动	to issue, to publish
3	明信片	míngxìnpiàn	名	postcard
4	好看	hǎokàn	形	good-looking, nice
5	帮	bāng	动	to help
6	挑	tiāo	动	to choose
7	套	tào	量	set
8	电	diàn	名	electricity
9	打	dǎ	动	to make (a call)
10	通	tōng	动	to be through
11	关机	guān jī		to turn off a mobile phone
12	不错	búcuò	形	not bad
13	真	zhēn	形/副	real; really
14	照相	zhào xiàng		to take photos
	照	zhào	动	to take a photo
15	哎呀	āiyā	叹	lumme
16	照相机	zhàoxiàngjī	名	camera
17	交	jiāo	动	to pay
18	费	fèi	名/动	fee; to expend
19	拿	ná	动	to take
20	完	wán	动	to finish, to end
21	找	zhǎo	动	to look for

专名 Proper Noun

| 东京 | Dōngjīng | Tokyo |

五 语 法 Grammar

1. "是" 字句（2） The "是" sentence (2)

名词、代词、形容词等后面加助词 "的" 组成 "的" 字结构，它具有名词的性质和作用，可独立使用。这种 "的" 字结构常出现在 "是" 字句里。例如：

The "的" construction, which consists of a noun, a pronoun or an adjective and the particle "的", has the same characteristics and functions as a noun. It may be used independently. The "的" construction often occurs in the "是" sentence, e.g.

① 这个本子是我的。 ② 那套邮票是新的。

③ 这件毛衣不是玛丽的。

2. 结果补语 The complement of result

（1）说明动作结果的补语叫结果补语。结果补语常由动词或形容词充任。例如：打通、写对。

The complement which tells the result of an action is known as the complement of result. As a rule, it is a verb or an adjective that acts as the complement of result, e.g. "打通", "写对".

（2）动词 "到" 作结果补语，表示人或运行的器物通过动作到达某个地点或动作持续到某个时间，也可以表示动作进行到某种程度。例如：

When the verb "到" is used as a complement of result, it shows that a person or a transportation vehicle has reached a certain place in the manner indicated by the preceding verb, or that the action expressed by the preceding verb (has) lasted up to a certain point of time or reached to a certain degree, e.g.

① 他回到北京了。 ② 我们学到第十五课了。

③ 她昨天晚上工作到十点。

（3）带结果补语的句子的否定式是在动词前加"没（有）"。例如：

The negative form of a sentence with a complement of result is realized by putting "没（有）" before the main verb, e.g.

④ 我没买到那本书。　　⑤ 大卫没找到玛丽。

3. 介词"给"　The preposition "给"

介词"给"可以用来引出动作、行为的接受对象。例如：

The preposition "给" may be used to introduce the recipient of an action or a behaviour, e.g.

① 昨天我给你打电话了。　　② 他给我做衣服。

六　练 习　Exercises

1. **熟读下列短语，每组选择一个造句**　Read up on the following expressions and make a sentence with one from each group

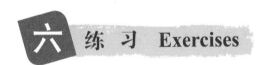

新 ⎧ 书 ⎫
　 ⎨ 本子 ⎬
　 ⎩ 衣服 ⎭

帮 ⎧ 你找找 ⎫
　 ⎨ 他拿东西 ⎬
　 ⎩ 妈妈做饭 ⎭

交 ⎧ 钱 ⎫
　 ⎨ 电话费 ⎬
　 ⎩ 饭费 ⎭

2. **仿照例句改写句子（用上适当的量词）**　Rewrite the sentences by following the example (Try to use some appropriate measure words)

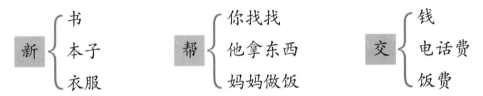

例 Example　这是一件新毛衣。➡ 这件毛衣是新的。

（1）这是妹妹的电脑。　➡ _____

（2）那是一本新书。　　➡ _____

（3）这是大卫的照相机。➡ _____

（4）这是一个日本电影。➡ _____

3. 选择适当的词语完成句子 Complete the following sentences with the appropriate words

真	交	完	通

(1) 我的钱 _____ ，我要去换钱。

(2) 这个月的手机费你 _____ 吗？

(3) 我给玛丽打电话，没 _____ ，明天再打。

(4) 这种 _____ ，我也想买。

4. 完成对话 Complete the following conversations

(1) A：你找什么？

B：_____ 。

A：你的书是新的吗？

B：_____ 。

(2) A：_____ ？

B：我没有。你有明信片吗？

A：有。

B：_____ ？

A：对，是新出的。

(3) A：这个照相机是谁的？

B：_____ 。

A：_____ ？

B：对。你看，很新。

5. 听后复述 Listen and retell

　　这个照相机是大卫新买的。昨天北京大学的两个中国学生来玩儿，我们一起照相了。北京大学的朋友说，星期天请我们去玩儿。他们在北大东门（dōngmén, east gate）等我们。我们去的时候，先（xiān, at first）给他们打电话。

6. 语音练习 Phonetic drills

（1）读下列词语：第三声＋第二声 Read the following words: 3rd tone + 2nd tone

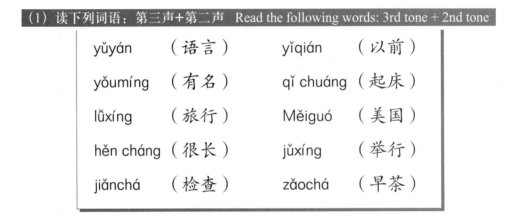

（2）常用音节练习 Drills on the frequently used syllables

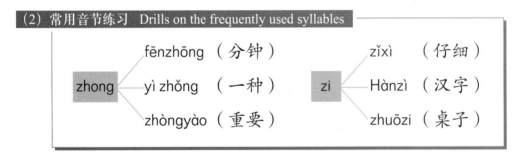

复习（三）

REVIEW (III)

一 会 话 Conversations 💿

1

〔小李听见有人敲门（qiāo mén, to knock at the door），去开门（kāi mén, to open the door）〕

李：谁啊？

王：小李，你好！

卫：我们来看你了。

李：是你们啊！快请进！……请坐，请喝茶（chá, tea）。

王、卫：谢谢！

李：你们怎么找到这儿的？

王：小马带我们来的。

卫：小马的奶奶家离这儿很近。他去奶奶家，我们就和他一起来了。

李：你们走累了吧？

王：不累。我们下车以后（yǐhòu, after）很快就找到了这个楼。

卫：你家离你工作的地方很远吧？

李：不远，坐 18 路车就可以到那儿。你们学习忙吧？

王：很忙，每天（měi tiān, every day）都有课，作业（zuòyè, homework）也很多。

卫：今天怎么你一个人在家？你爸爸、妈妈呢？

李：我爸爸、妈妈的一个朋友要去美国，今天他们去看那个朋友了。

王：啊（à, ah），十一点半了，我们去饭店吃饭吧。

李：到饭店去吃饭要等很长时间，也很贵，就在我家吃吧。我还要请你们尝尝我的拿手（náshǒu, to be good at）菜呢！

王、卫：太麻烦（máfan, to bother）你了！

二 语 法 Grammar

能愿动词小结　Summary of modal verbs

1. 想

表示主观上的意愿，侧重"打算、希望"。例如：

to express the will of a person, emphasizing one's intention or desire, e.g.

> A：你想去商店吗？
>
> B：我不想去商店，我想在家看电视。

2. 要

（1）表示主观意志上的要求。否定式是"不想"。例如：

to express the wish of a person. Its negative form is "不想", e.g.

> ① 我要买件毛衣。
>
> ② A：你要看这本书吗？
>
> 　　B：我不想看，我要看那本杂志。

（2）表示客观事实上的需要。否定式常用"不用"。例如：

to express practical necessity. Its negative form is usually "不用", e.g.

> ③ A：要换车吗？
>
> 　　B：要换车（不用换车）。

3. 会

（1）表示通过学习掌握一种技能。例如：

to show that one masters a skill through learning. e.g.

> ① 他会说汉语。   ② 我不会做菜。

（2）表示可能性。例如：

to express possibility, e.g.

> ③ A：现在十点了，他不会来了吧？
>
>   B：别着急（bié zháojí, don't worry），他会来的。

4. 能

（1）表示具有某种能力。例如：

to express capability, e.g.

> ① 大卫能用汉语谈话（tán huà, to talk, to speak）。

（2）也可表示客观上的允许。例如：

also to express objective permission, e.g.

> ② A：你明天上午能来吗？
>
>   B：不能来，明天我有事。

5. 可以

表示客观或情理上许可。例如：

to express objective or rational permission, e.g.

> ① A：我们可以走了吗？
>
>   B：可以。
>
> ② A：我们可以在这儿玩儿吗？
>
>   B：不行（xíng, it's OK），这儿要上课。

三 练习 Exercises

1. 用动词"给"和下面的词语造双宾句 Make ditransitive sentences with the verb "给" and the words below

本子　　词典　　钱　　明信片　　苹果

2. 回答问题 Answer the following questions

（1）这本书生词多吗？

（2）你的词典是新的吗？那本书是谁的？

（3）你会说汉语吗？你会不会写汉字？

3. 用下面的句子练习会话 Make conversations with the sentences given below

（1）买东西 Go shopping

你要买什么？	请问，有……吗？
要多少？	一斤多少钱？
还要别的吗？	多少钱一斤？
请先交钱。	在这儿交钱吗？
找你……钱。	在哪儿交钱？
请数一数。	给你钱。

（2）坐车 Take a bus

这路车到……吗？	我去……
到……还有几站？	买……张票。
一张票多少钱？	在……上的。
在哪儿换车？	在……下车。
换几路车？	

（3）换钱 Change money

这儿能换钱吗？ 你带的什么钱？

……能换多少人民币？ 换多少？

请写一下儿钱数和名字。

4. 语音练习 Phonetic drills

（1）声调练习：第四声+第三声 Drills on tones: 4th tone + 3rd tone

Hànyǔ （汉语）

huì jiǎng Hànyǔ （会讲汉语）

Dàwèi huì jiǎng Hànyǔ （大卫会讲汉语）

（2）朗读会话 Read aloud the conversation

A: Nǐ lěng ma? B: Yǒudiǎnr lěng.

A: Gěi nǐ zhè jiàn máoyī. B: Wǒ shìshi.

A: Bú dà yě bù xiǎo. B: Shì a. Xièxie!

四 阅读短文 Reading Passage

我跟大卫说好（shuō hǎo, to arrange）星期天一起去买衣服。

星期天，我很早就起床了。我家离商店不太远。九点半坐车去，十点就到了。买东西的人很多。我在商店前边等大卫。等到十点半，大卫还没有来，我就先进去（xiān jìn qu, to enter first）了。

那个商店很大，东西也很多。我想买毛衣，售货员说在二层，我就上楼了。

这儿的毛衣很好看，也很贵。有一件毛衣我穿不长也不短。我去交钱的时候，大卫来了。他说："坐车的人太多了，我来晚了，真对不起（duìbuqǐ, to beg your pardon）。"我说："没什么。"我们就一起去看别的衣服了。

xiāngyuē
相约（1）
**MAKING AN
APPOINTMENT**

16 你看过京剧吗

HAVE YOU EVER SEEN A BEIJING OPERA

一 **句 子 Sentences**

101 | 你 看 过 京 剧 吗？ Have you ever seen a Beijing opera?
Nǐ kàn guo jīngjù ma?

102 | 我 没 看 过 京 剧 。 I haven't seen a Beijing opera.
Wǒ méi kàn guo jīngjù.

103 | 你 知 道 哪 儿 演 京 剧 吗？
Nǐ zhīdào nǎr yǎn jīngjù ma?
Do you know where Beijing opera is put on?

104 | 你 买 到 票 以 后 告 诉 我 。
Nǐ mǎi dào piào yǐhòu gàosu wǒ.
After you have bought the tickets, please let me know.

105 | 我 还 没 吃 过 北 京 烤 鸭 呢！
Wǒ hái méi chī guo Běijīng kǎoyā ne!
I haven't had any Beijing roast duck yet.

106 | 我 们 应 该 去 尝 一 尝 。
Wǒmen yīnggāi qù cháng yi cháng.
We should go and have a taste of it.

107 | 不行。 No, I can't. (It is not possible.)
Bù xíng.

108 | 有 朋 友 来 看 我 。
Yǒu péngyou lái kàn wǒ.
A friend of mine will come to see me.

 二 会 话 **Conversations**

1

玛丽: 你 看 过 京 剧 吗?
Mǎlì: Nǐ kàn guo jīngjù ma?

大卫: 没 看 过 。
Dàwèi: Méi kàn guo.

玛丽: 听 说 很 有 意 思 。
Mǎlì: Tīngshuō hěn yǒu yìsi.

大卫: 我 很 想 看 , 你 呢 ?
Dàwèi: Wǒ hěn xiǎng kàn, nǐ ne?

玛丽: 我 也 很 想 看 。 你 知 道 哪 儿 演 吗 ?
Mǎlì: Wǒ yě hěn xiǎng kàn. Nǐ zhīdào nǎr yǎn ma?

大卫: 人 民 剧 场 常 演 。
Dàwèi: Rénmín Jùchǎng cháng yǎn.

玛丽: 那 我 们 星 期 六 去 看 , 好 不 好 ?
Mǎlì: Nà wǒmen xīngqīliù qù kàn, hǎo bu hǎo?

大卫: 当 然 好 。 明 天 我 去 买 票 。
Dàwèi: Dāngrán hǎo. Míngtiān wǒ qù mǎi piào.

玛丽： 买 到 票 以 后 告 诉 我。
Mǎlì: Mǎi dào piào yǐhòu gàosu wǒ.

大卫： 好。
Dàwèi: Hǎo.

2

和子： 听 说 烤 鸭 是 北 京 的 名 菜。
Hézǐ: Tīngshuō kǎoyā shì Běijīng de míng cài.

玛丽： 我 还 没 吃 过 呢！
Mǎlì: Wǒ hái méi chī guo ne!

和子： 我 们 应 该 去 尝 一 尝。
Hézǐ: Wǒmen yīnggāi qù cháng yi cháng.

玛丽： 二 十 八 号 晚 上 我 没 事，你 呢？
Mǎlì: Èrshíbā hào wǎnshang wǒ méi shì, nǐ ne?

和子： 不 行，有 朋 友 来 看 我。
Hézǐ: Bù xíng, yǒu péngyou lái kàn wǒ.

玛丽： 三 十 号 晚 上 怎 么 样？
Mǎlì: Sānshí hào wǎnshang zěnmeyàng?

和子： 可 以。
Hézǐ: Kěyǐ.

三 替换与扩展 Substitution and Extension

📍 替换 Substitution

（1）你 看 过 京 剧 吗？

去	长城	喝	这种酒
喝	那种茶	去	那个公园
吃	那种菜	问	价钱

（2）我们应该去<u>尝一尝</u>烤鸭。 ▶◀

| 看 | 京剧 | 问 | 老师 |
| 听 | 音乐 | 找 | 他们 |

（3）<u>买</u>到票以后告诉我。 ▶◀

| 收 | 信 | 买 | 词典 |
| 见 | 玛丽 | 买 | 咖啡 |

📍 扩展 Extension

（1）玛丽，快来，有人找你。
　　Mǎlì, kuài lái, yǒu rén zhǎo nǐ.

（2）A：你看杂技吗？
　　　Nǐ kàn zájì ma?

　　B：不看。昨天的练习我还没做呢。
　　　Bú kàn. Zuótiān de liànxí wǒ hái méi zuò ne.

四 生词 New Words 💿

1	过	guo	助	*used after a verb to indicate the completion of an action*
2	京剧	jīngjù	名	Beijing opera
3	演	yǎn	动	to put on, to perform
4	以后	yǐhòu	名	later, afterwards
5	告诉	gàosu	动	to tell, to inform
6	烤鸭	kǎoyā	名	roast duck
7	应该	yīnggāi	能愿	ought to, should
8	行	xíng	动/形	it's OK; capable

9	有意思	yǒu yìsi		interesting
10	当然	dāngrán	副	of course, certainly
11	名菜	míng cài		famous dish
12	事	shì	名	event
13	酒	jiǔ	名	alcoholic beverage
14	茶	chá	名	tea
15	菜	cài	名	dish
16	价钱	jiàqian	名	price
17	收	shōu	动	to receive
18	词典	cídiǎn	名	dictionary
19	咖啡	kāfēi	名	coffee
20	杂技	zájì	名	acrobatics
21	练习	liànxí	名/动	exercise; to exercise

📍 专名 Proper Noun

人民剧场	Rénmín Jùchǎng	People's Theatre

五 语法 Grammar

1. 动态助词 "过" The aspect particle "过"

（1）动态助词 "过" 用在动词后，说明某种动作曾在过去发生。常用来强调有过这种经历。例如：

The aspect particle "过" is put after a verb to denote that an action has occurred. This particle is usually used to highlight that experience, e.g.

① 我去过长城。 ② 我学过汉语。

③ 我没吃过烤鸭。

（2）它的正反疑问句形式是"……过……没有"。例如：

Its affirmative-negative question is in the form of "……过……没有", e.g.

④ 你去过美国没有？ ⑤ 你看过那个电影没有？

（3）连动句里要表示过去的经历时，"过"一般放在第二个动词之后。例如：

To express a past experience in the sentence with verbal constructions in series, one normally puts "过" after the second verb, e.g.

⑥ 我去那个饭店吃过饭。

2. 无主句　The sentence without a subject

绝大部分句子都由主语、谓语两部分组成。也有一些句子只有谓语没有主语，这种句子叫无主句。例如：

Most sentences are made up of two parts, the subject and the predicate. But there are a number of sentences that lack the subject. Such a sentence is called the sentence without a subject, e.g.

① 有人找你。 ② 有人请你看电影。

3. "还没（有）……呢"　The expression "还没（有）……呢"

表示一个动作现在还未发生或尚未完成。例如：

It denotes that an action has not taken place or completed up to now, e.g.

① 他还没（有）来呢。 ② 这件事我还不知道呢。

③ 我还没吃过烤鸭呢。

六 练 习 Exercises

1. 用"了"或"过"完成句子 Complete the following sentences with "了" or "过"

（1）听说中国的杂技很有意思，我还 _____。

（2）昨天我 _____。这个电影很好。

（3）他不在，他去 _____。

（4）你看 _____ 吗？听说很好。

（5）你 _____？这种酒不太好喝。

2. 用"了"或"过"回答问题 Answer the following questions with "了" or "过"

（1）你来过中国吗？来中国以后，你去过什么地方？

（2）来中国以后，你给家里打过电话吗？

（3）昨天晚上你做什么了？看电视了吗？

（4）你常听录音吗？昨天听录音了没有？

3. 判断正误 Judge whether the following statements are correct or not

（1）我没找到那个本子。（　　）（2）你看过没有京剧？（　　）

　　我没找到那个本子了。（　　）　　你看过京剧没有？（　　）

（3）玛丽不去过那个书店。（　　）（4）我还没吃过午饭呢。（　　）

　　玛丽没去过那个书店。（　　）　　我还没吃午饭呢。（　　）

4. 把下列句子改成否定句 Change the following sentences into the negative forms

（1）我找到那个本子了。➡ _____

（2）我看过京剧。➡ _____

（3）他学过这个汉字。➡ _____

（4）我吃过这种菜。➡ _____

（5）玛丽去过那个书店。→ _____

5. 听后复述　Listen and retell 💿

以前（yǐqián, before）我没看过中国的杂技，昨天晚上我看了。中国杂技很有意思，以后我还想看。

我也没吃过中国菜。小王说他会做中国菜，星期六请我吃。

6. 语音练习　Phonetic drills 💿

（1）读下列词语：第三声+第三声　Read the following words: 3rd tone + 3rd tone

yǒuhǎo	（友好）	wǎn diǎn	（晚点）
yǔfǎ	（语法）	liǎojiě	（了解）
zhǎnlǎn	（展览）	hěn duǎn	（很短）
hǎishuǐ	（海水）	gǔdiǎn	（古典）
guǎngchǎng	（广场）	yǒngyuǎn	（永远）

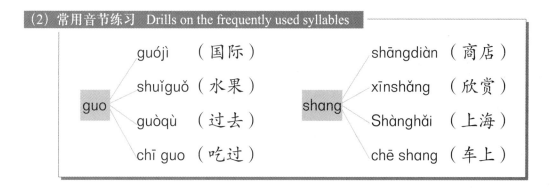

（2）常用音节练习　Drills on the frequently used syllables

guo			shang	
guójì	（国际）		shāngdiàn	（商店）
shuǐguǒ	（水果）		xīnshǎng	（欣赏）
guòqù	（过去）		Shànghǎi	（上海）
chī guo	（吃过）		chē shang	（车上）

xiāngyuē
相约（2）
MAKING AN
APPOINTMENT

17 去动物园
GOING TO THE ZOO

一 句 子 **Sentences**

109
这 两 天 天 气 很 好。①
Zhè liǎng tiān tiānqì hěn hǎo.
The weather has been fine in the last two days.

110
我 们 出 去 玩 儿 玩 儿 吧。 Let's go for an outing.
Wǒmen chū qu wánr wánr ba.

111
去 哪 儿 玩 儿 好 呢？ Where shall we go for an outing?
Qù nǎr wánr hǎo ne?

112
去 北 海 公 园，看 看 花 儿，划 划 船。
Qù Běihǎi Gōngyuán, kànkan huār, huáhua chuán.
Let's go to the Beihai Park to look at the flowers and go boating.

113
骑 自 行 车 去 吧。 Les't go by bike.
Qí zìxíngchē qù ba.

114
今 天 天 气 多 好 啊！ What a fine day today!
Jīntiān tiānqì duō hǎo a!

115
他 上 午 到 还 是 下 午 到？
Tā shàngwǔ dào háishi xiàwǔ dào?
When will he arrive, in the morning or in the afternoon?

116 我 跟 你 一 起 去。I'll go with you.
Wǒ gēn nǐ yìqǐ qù.

二 会 话 Conversations

1

张丽英: 这 两 天 天 气 很 好。我 们 出 去
Zhāng Lìyīng: Zhè liǎng tiān tiānqì hěn hǎo, wǒmen chūqu

玩 儿 玩 儿 吧。
wánr wánr ba.

和子: 去 哪 儿 玩 儿 好 呢？
Hézǐ: Qù nǎr wánr hǎo ne?

张丽英: 去 北 海 公 园，看 看 花 儿，划 划 船，
Zhāng Lìyīng: Qù Běihǎi Gōngyuán, kànkan huār, huáhua chuán,

多 好 啊！
duō hǎo a!

和子: 上 星 期 我 去 过 了，去 别 的
Hézǐ: Shàng xīngqī wǒ qù guo le, qù bié de

地 方 吧。
dìfang ba.

张丽英: 去 动 物 园 怎 么 样？
Zhāng Lìyīng: Qù dòngwùyuán zěnmeyàng?

和子: 行，还 可 以 看 看
Hézǐ: Xíng, hái kěyǐ kànkan

大 熊 猫 呢。
dàxióngmāo ne.

张丽英：我们怎么去？
Zhāng Lìyīng: Wǒmen zěnme qù?

和子：骑自行车去吧。
Hézǐ: Qí zìxíngchē qù ba.

2

和子：你认识李成日吗？
Hézǐ: Nǐ rènshi Lǐ Chéngrì ma?

刘京：当然认识。去年他在这儿学过汉语。
Liú Jīng: Dāngrán rènshi. Qùnián tā zài zhèr xué guo Hànyǔ.

和子：你知道吗？明天他来北京。
Hézǐ: Nǐ zhīdào ma? Míngtiān tā lái Běijīng.

刘京：不知道。他上午到还是下午到？
Liú Jīng: Bù zhīdào. Tā shàngwǔ dào háishi xiàwǔ dào?

和子：下午两点，我去机场接他。
Hézǐ: Xiàwǔ liǎng diǎn, wǒ qù jīchǎng jiē tā.

刘京：明天下午没有课，我跟你一起去。
Liú Jīng: Míngtiān xiàwǔ méi yǒu kè, wǒ gēn nǐ yìqǐ qù.

和子：好的。
Hézǐ: Hǎo de.

刘京：什么时候去？
Liú Jīng: Shénme shíhou qù?

和子：一点吧。
Hézǐ: Yī diǎn ba.

注释　Note

❶ 这两天天气很好。　The weather has been fine in the last two days.
"这两天"是表示"最近"的意思。"两"在这里表示概数。
"这两天" means "recently". "两" here is only an approximate number.

替换与扩展 **Substitution and Extension**

📍 替换 Substitution

（1）这两天<u>天气很好</u>。 >> <<

我没事	他很忙
小王身体不好	
他们有考试	
坐地铁的人很多	

（2）看看花儿，划划船，
多<u>好</u>啊！ >> <<

有意思	高兴

（3）他<u>上午</u>到还是<u>下午</u>到？ >> <<

今天	明天
下星期	这个星期
早上八点	晚上八点

📍 扩展 Extension

（1）A：玛丽在哪儿？
Mǎlì zài nǎr?

B：在楼上，你上去找她吧。
Zài lóu shàng, nǐ shàng qu zhǎo tā ba.

（2）A：去动物园哪条路近？
Qù dòngwùyuán nǎ tiáo lù jìn?

B：这条路最近。
Zhè tiáo lù zuì jìn.

四 生 词 New Words

1	天气	tiānqì	名	weather
2	出	chū	动	to go out
3	划	huá	动	to row
4	船	chuán	名	boat
5	骑	qí	动	to ride
6	自行车	zìxíngchē	名	bicycle
7	啊	a	助	*attached to the end of a sentence to indicate admiration*
8	还是	háishi	连	or
9	跟	gēn	介	and, with
10	上	shàng	名	last, on, above, over
11	动物园	dòngwùyuán	名	zoo
12	大熊猫	dàxióngmāo	名	panda
13	去年	qùnián	名	last year
14	学	xué	动	to study
15	机场	jīchǎng	名	airport
16	接	jiē	动	to meet
17	考试	kǎoshì	动/名	to give or take an examination; examination
18	地铁	dìtiě	名	subway
19	下	xià	名	next, under, below
20	条	tiáo	量	*a measure word for long and thin things*
21	最	zuì	副	most

专名 Proper Nouns

1	北海公园	Běihǎi Gōngyuán	the Beihai Park
2	李成日	Lǐ Chéngrì	Li Chengri (*name of a person*)

五 语 法 Grammar

1. 选择疑问句 The alternative question

用连词"还是"连接两种可能的答案，由回答的人选择其一，这种疑问句叫选择疑问句。例如：

A question with two possible answers joined by the conjunction "还是" for the replier to choose from is called the alternative question, e.g.

① 你上午去还是下午去？   ② 你喝咖啡还是喝茶？

③ 你一个人去还是跟朋友一起去？

2. 表示动作方式的连动句 The sentence with verbal constructions in series showing the manner of an action

这种连动句中前一个动词或动词短语表示动作的方式。例如：

In a sentence with verbal constructions in series, the first verb or verb phrase shows the manner of an action, e.g.

用汉语介绍   坐车去机场   骑自行车去

3. 趋向补语（1） The complement of direction (1)

一些动词后边常用"来""去"作补语，表示动作的趋向，这种补语叫趋向补语。动作如果向着说话人就用"来"，与之相反的就用"去"。例如：

"来" or "去" is often used after a number of verbs as a complement to show the direction of an action and is known as a complement of direction. If the action is in the direction towards the speaker, "来" is used; however, if the opposite is the case, "去" is used, e.g.

> ① 上课了，快进来吧。（说话人在里边）
>
> ② 他不在家，出去了。（说话人在家里）
>
> ③ 玛丽，快下来！（说话人在楼下，玛丽在楼上）

六 练 习 Exercises

1. 给下面的词配上适当的宾语并造句 Match the following words with proper objects and make sentences with each of them

坐 _____   划 _____   骑 _____   演 _____

拿 _____   换 _____   穿 _____   打 _____

2. 看图说话（用上趋向动词"来""去"） Talk about the pictures (using the directional verb "来" and "去")

（1）大卫说："你 _____ 吧。"

玛丽说："你 _____ 吧。"

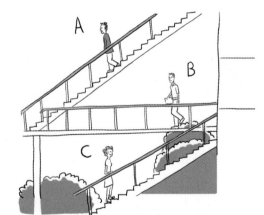

（2）A：_____。

B：_____。

C：_____。

3. 根据所给内容，用"还是"提问 Raise questions with "还是" on the basis of the given content

例 Example　六点半起床　七点起床 ➡ 你六点半起床还是七点起床？

（1）去北海公园　去动物园　➡ _____

（2）看电影　　　看杂技　　➡ _____

（3）坐车去　　　骑自行车去 ➡ _____

（4）你去机场　　他去机场　➡ _____

（5）今年回国　　明年回国　➡ _____

4. 听后复述　Listen and retell 🎧

　　王兰告诉我，离我们学校不远有一个果园（guǒyuán, orchard）。那个果园有很多水果（shuǐguǒ, fruit），可以看，可以吃，也可以买。我们应该去看看。我们想星期天去。我们骑自行车去。

5. 语音练习　Phonetic drills 🎧

（1）读下列词语：第三声＋第四声　Read the following words: 3rd tone + 4th tone

gǎnxiè	（感谢）	kǎoshì	（考试）
yǒuyì	（友谊）	wǎnfàn	（晚饭）
qǐng zuò	（请坐）	zěnyàng	（怎样）
mǎlù	（马路）	fǎngwèn	（访问）
mǎi dào	（买到）	yǒu shì	（有事）

（2）常用音节练习　Drills on the frequently used syllables

	chàng gē （唱歌）		rénmín （人民）
ge	gǎigé （改革）	ren	rěnràng （忍让）
	liǎng ge （两个）		rènzhēn （认真）

18 路上辛苦了

DID YOU HAVE A TIRING TRIP

一　句　子　Sentences

117

从 东 京 来 的 飞 机 到 了 吗？
Cóng Dōngjīng lái de fēijī dào le ma?
Has the plane from Tokyo arrived?

118

飞 机 晚 点 了。 The plane is behind schedule.
Fēijī wǎn diǎn le.

119

飞 机 快 要 起 飞 了。 The plane is about to take off.
Fēijī kuài yào qǐfēi le.

120

飞 机 大 概 三 点 半 能 到。
Fēijī dàgài sān diǎn bàn néng dào.
The plane may arrive around 3:30.

121

我 们 先 去 喝 点 儿 咖 啡，一 会 儿
Wǒmen xiān qù hē diǎnr kāfēi, yìhuǐr
再 来 这 儿 吧。
zài lái zhèr ba.
Let's have some coffee first and come back here later.

122

路 上 辛 苦 了。 Did you have a tiring trip?
Lù shang xīnkǔ le.

123 你 怎 么 知 道 我 要 来 ?
Nǐ zěnme zhīdào wǒ yào lái?
How did you know I would come?

124 是 和 子 告 诉 我 的 。 Kazuko told me about that.
Shì Hézǐ gàosu wǒ de.

二 会 话 Conversations

1

和子: 从 东 京 来 的 飞 机 到 了 吗 ?
Hézǐ: Cóng Dōngjīng lái de fēijī dào le ma?

服务员: 还 没 到 。
Fúwùyuán: Hái méi dào.

和子: 为 什 么 ?
Hézǐ: Wèi shénme?

服务员: 晚 点 了 。 飞 机 现 在 在 上 海 。
Fúwùyuán: Wǎn diǎn le. Fēijī xiànzài zài Shànghǎi.

和子: 起 飞 了 吗 ?
Hézǐ: Qǐfēi le ma?

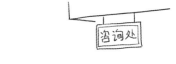

服务员: 快 要 起 飞 了 。
Fúwùyuán: Kuài yào qǐfēi le.

和子: 什 么 时 候 能 到 ?
Hézǐ: Shénme shíhou néng dào?

服务员: 大 概 三 点 半 能 到 。
Fúwùyuán: Dàgài sān diǎn bàn néng dào.

和子： 刘京，我们先去喝点儿咖啡，
Hézǐ: Liú Jīng, wǒmen xiān qù hē diǎnr kāfēi,

一会儿再来这儿吧。
yìhuǐr zài lái zhèr ba.

2

和子： 你看，李成日来了。
Hézǐ: Nǐ kàn, Lǐ Chéngrì lái le.

刘京： 你好！路上辛苦了。
Liú Jīng: Nǐ hǎo! Lù shang xīnkǔ le.

李成日： 你们好！刘京，你怎么知道我要来？
Lǐ Chéngrì: Nǐmen hǎo! Liú Jīng, nǐ zěnme zhīdào wǒ yào lái?

刘京： 是和子告诉我的。
Liú Jīng: Shì Hézǐ gàosu wǒ de.

李成日： 感谢你们来接我。
Lǐ Chéngrì: Gǎnxiè nǐmen lái jiē wǒ.

和子： 我们出去吧！
Hézǐ: Wǒmen chū qu ba!

李成日： 等一等，还有贸易公司
Lǐ Chéngrì: Děng yi děng, hái yǒu màoyì gōngsī

的人接我呢。
de rén jiē wǒ ne.

刘京： 好，我们在这儿等你。
Liú Jīng: Hǎo, wǒmen zài zhèr děng nǐ.

三 替换与扩展 Substitution and Extension

替换 Substitution

（1）快要<u>起飞</u>了。

上课	考试
开车	毕业

（2）我们先去<u>喝点儿咖啡</u>，
一会儿再来<u>这儿</u>吧。

换	钱	买饮料
吃	东西	照相
喝	啤酒	看电影

（3）是<u>和子</u>告诉<u>我</u>的。

刘京	王兰
玛丽	大卫

扩展 Extension

（1）A：他是怎么来的？
　　　Tā shì zěnme lái de?

　　 B：他（是）坐出租车来的。
　　　Tā (shì) zuò chūzūchē lái de.

（2）火 车 要 开 了，快 上 去 吧。
　　 Huǒchē yào kāi le, kuài shàng qu ba.

四 生词 New Words

1	从	cóng	介	from
2	飞机	fēijī	名	airplane
3	晚点	wǎn diǎn		to be late, to be behind schedule
4	要……了	yào……le		be about to, to be going to
5	起飞	qǐfēi	动	to take off
6	大概	dàgài	副	around, about
7	先	xiān	副	first
8	辛苦	xīnkǔ	形	tiring
9	服务员	fúwùyuán	名	assistant, attendant
10	为什么	wèi shénme		why
11	一会儿	yìhuǐr / yíhuìr	数量	in a moment
12	感谢	gǎnxiè	动	to thank
13	贸易	màoyì	名	trade
14	公司	gōngsī	名	company
15	毕业	bì yè		to graduate
16	饮料	yǐnliào	名	drink
17	啤酒	píjiǔ	名	beer
18	出租车	chūzūchē	名	taxi
19	火车	huǒchē	名	train
20	开	kāi	动	to drive

五 语 法 Grammar

1. "要……了" The expression "要……了"

（1）"要……了"句式表示一个动作或情况很快就要发生。副词"要"表示将要，放在动词或形容词前，句尾加语气助词"了"。"要"前还可加上"就"或"快"，表示时间紧迫。例如：

The construction "要……了" indicates that an action or a state of affairs is about to happen. The adverb "要", which means that something is going to happen in the immediate future, is put before a verb or an adjective, while the modal particle "了" is placed at the end of the sentence. One may put "就" or "快" before "要" to stress urgency, e.g.

> ① 火车要开了。　　② 他就要来了。
>
> ③ 快要到北京了。

（2）"就要……了"前边可以加时间状语，"快要……了"不行。例如"他明天就要走了"，不能说"他明天快要走了"。

One may put an adverbial of time before "就要……了", but not before "快要……了", e.g. "他明天就要走了" is correct, but "他明天快要走了" is not.

2. "是……的" The expression "是……的"

（1）"是……的"句可用来强调说明已经发生的动作的时间、地点、方式等。"是"放在被强调说明的部分之前，有时可以省略。"的"放在句尾。例如：

The sentence with the "是……的" construction is used to stress when, where or how the action occurred in the past. "是" may be put before the stressed part or sometimes omitted, with "的" at the end of the sentence, e.g.

> ① 他（是）昨天来的。　　② 你（是）在哪儿买的？
>
> ③ 我（是）坐飞机来的。

（2）是……的"句有时也可强调动作的施事。例如：

The sentence with the "是……的" construction may be used sometimes to highlight the agent of an action, e.g.

> ④ （是）她告诉我的。

六 练习 Exercises

1. 用"要……了""快要……了"或"就要……了"改写句子　Rewrite the following sentences with "要……了", "快要……了" or "就要……了"

例 Example 现在是十月，你应该买毛衣了。

➡ 天气（快）要冷了，你应该买毛衣了。

（1）八点上课，现在七点五十了，我们快走吧。

➡ _____

（2）你再等等，他很快就来。

➡ _____

（3）李成日明天回国，我们去看看他吧。

➡ _____

（4）饭很快就做好了，你们在这儿吃吧。

➡ _____

2. 用"（是）……的"完成对话　Complete the following conversations with "（是）……的"

（1）A：这种橘子真好吃，_____?

　　B：是在旁边的商店_____。

（2）A：你给玛丽打电话了吗？

　　B：打了。我是昨天晚上_____。

　　A：她知道开车的时间了吗？

　　B：她昨天上午就知道了。

　　A：_____?

　　B：是刘京告诉她的。

3. **按照实际情况回答问题** Answer the questions according to the actual situations

（1）你从哪儿来？你是怎么来的？

（2）你为什么来中国？

4. **听后复述** Listen and retell

我从法国来，我是坐飞机来的。我在北京语言大学学习汉语。在法国我没学过汉语，我不会说汉语，也不会写汉字。现在我会说一点儿了，我很高兴。我应该感谢我们的老师。

5. **语音练习** Phonetic drills

（1）读下列词语：第三声+轻声 Read the following words: 3rd tone + neutral tone

zěnme	（怎么）	wǎnshang	（晚上）
xǐhuan	（喜欢）	jiǎozi	（饺子）
zǎoshang	（早上）	sǎngzi	（嗓子）
jiějie	（姐姐）	nǎinai	（奶奶）
shǒu shang	（手上）	běnzi	（本子）

（2）常用音节练习 Drills on the frequently used syllables

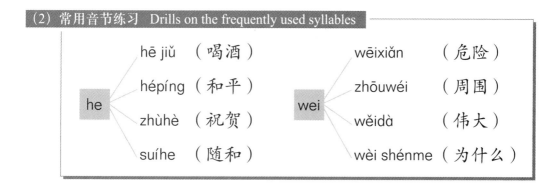

he		wei	
hē jiǔ	（喝酒）	wēixiǎn	（危险）
hépíng	（和平）	zhōuwéi	（周围）
zhùhè	（祝贺）	wěidà	（伟大）
suíhe	（随和）	wèi shénme	（为什么）

yíngjiē
迎接（2）
WELCOME

19　欢迎你

YOU ARE WELCOME

一　句子　Sentences

125　别客气。Not at all.
　　Bié kèqi.

126　一点儿也不累。Not tired at all.
　　Yìdiǎnr yě bú lèi.

127　您第一次来中国吗？
　　Nín dì yī cì lái Zhōngguó ma?
　　Is this your first visit to China?

128　我以前来过（中国）两次。
　　Wǒ yǐqián lái guo (Zhōngguó) liǎng cì.
　　I have been to China twice.

129　这是我们经理给您的信。
　　Zhè shì wǒmen jīnglǐ gěi nín de xìn.
　　Here is a letter for you from our manager.

130　他问您好。He sent his regards to you.
　　Tā wèn nín hǎo.

131 | 我们 在 北京 饭店 请 您 吃 晚饭。
Wǒmen zài Běijīng Fàndiàn qǐng nín chī wǎnfàn.
We invite you to dinner at Beijing Hotel this evening.

132 | 我 从 朋友 那儿 去 饭店。
Wǒ cóng péngyou nàr qù fàndiàn.
I'll go to the hotel from my friends' place.

二 会 话 Conversations

1

王: 您 好，李 先生！我 是 王 大年，公司 的 翻译。
Wáng: Nín hǎo, Lǐ xiānsheng, Wǒ shì Wáng Dànián, gōngsī de fānyì.

李: 谢谢 您 来 接 我。
Lǐ: Xièxie nín lái jiē wǒ.

王: 别 客气。路上 辛苦 了。累 了 吧？
Wáng: Bié kèqì. Lù shang xīnkǔ le. Lèi le ba?

李: 一点儿 也 不 累，很 顺利。
Lǐ: Yìdiǎnr yě bú lèi, hěn shùnlì.

王: 汽车 在 外边，我们 送 您 去 饭店。
Wáng: Qìchē zài wàibian, wǒmen sòng nín qù fàndiàn.

李: 我 还 有 两 个 朋友。
Lǐ: Wǒ hái yǒu liǎng ge péngyou.

王: 那 一起 走 吧。
Wáng: Nà yìqǐ zǒu ba.

李: 谢谢！
Lǐ: Xièxie!

2

经理：欢 迎 您， 李 先 生 ！
Jīnglǐ: Huānyíng nín,　Lǐ xiānsheng!

李：谢 谢 ！
Lǐ: Xièxie!

经理：您 第 一 次 来 中 国 吗 ？
Jīnglǐ: Nín dì yī cì lái Zhōngguó ma?

李：不， 我 以 前 来 过 两 次。 这 是 我 们 经 理 给 您 的 信。
Lǐ: Bù,　wǒ yǐqián lái guo liǎng cì.　Zhè shì wǒmen jīnglǐ gěi nín de xìn.

经理：麻 烦 您 了 。
Jīnglǐ: Máfan nín le.

李：他 问 您 好 。
Lǐ: Tā wèn nín hǎo.

经理：谢 谢。 今 天 我 们 在 北 京 饭 店 请 您 吃 晚 饭。
Jīnglǐ: Xièxie.　Jīntiān wǒmen zài Běijīng Fàndiàn qǐng nín chī wǎnfàn.

李：您 太 客 气 了， 真 不 好 意 思。
Lǐ: Nín tài kèqi le, zhēn bù hǎoyìsi.

经理：您 有 时 间 吗？
Jīnglǐ: Nín yǒu shíjiān ma?

李：下 午 我 去 朋 友 那 儿， 晚 上 没 事。
Lǐ: Xiàwǔ wǒ qù péngyou nàr,　wǎnshang méi shì.

经理：我 们 去 接 您。
Jīnglǐ: Wǒmen qù jiē nín.

李：不 用 了， 我 可 以 打 车 从 朋 友 那 儿 去。
Lǐ: Búyòng le,　wǒ kěyǐ dǎ chē cóng péngyou nàr qù.

替换与扩展 **Substitution and Extension**

替换 Substitution

（1）一点儿也不累。   >><<

一点儿	不热
一点儿	不慢
一样东西	没买
一分钟	没休息

（2）这是我们经理给您的信。   >><<

我姐姐	给我	笔
他哥哥	送你	花
我朋友	给我	明信片

（3）A：您是第一次来中国吗?

B：不，我以前来过两次。   >><<

吃烤鸭	吃
看京剧	看
来我们学校	来

扩展 Extension

（1）这次我来北京很顺利。
Zhè cì wǒ lái Běijīng hěn shùnlì.

（2）我寄给你的信收到了吗?
Wǒ jì gěi nǐ de xìn shōu dào le ma?

（3）我来中国的时候一句汉语也不会说。
Wǒ lái Zhōngguó de shíhou yí jù Hànyǔ yě bú huì shuō.

四 生 词 New Words

1	别	bié	副	do not..., not to
2	客气	kèqi	形	polite
3	第	dì	头	*used to form ordinal numbers*
4	次	cì	量	occurrence, time
5	经理	jīnglǐ	名	manager
6	先生	xiānsheng	名	mister
7	翻译	fānyì	名/动	interpreter; to translate
8	顺利	shùnlì	形	without a hitch, smooth going
9	外边	wàibian	名	outside
10	送	sòng	动	to send
11	以前	yǐqián	名	before
12	麻烦	máfan	动/形/名	to bother; troublesome; trouble
13	不好意思	bù hǎoyìsi		embarrassed
14	不用	búyòng	副	don't bother
15	打车	dǎ chē		to go by taxi, to take a taxi
16	热	rè	形	hot, warm
17	慢	màn	形	slow
18	分钟	fēnzhōng	名	minute
19	笔	bǐ	名	pen
20	寄	jì	动	to mail
21	句	jù	量	sentence

五 语 法 Grammar

1. "从""在"的宾语与"这儿""那儿" The objects of "从" and "在" with "这儿" and "那儿"

"从""在"的宾语如果是一个指人的名词或代词，必须在它后边加"这儿"或"那儿"才能表示处所。例如：

If the object of "从" or "在" is a noun or pronoun indicating a person, it is necessary to add "这儿" or "那儿" after it to indicate place, e.g.

① 他从我这儿去书店。　　② 我从张大夫那儿来。

③ 我妹妹在玛丽那儿玩儿。　　④ 我的笔在他那儿。

2. 动量补语 The complement of frequency

（1）动量词和数词结合，放在动词后边，说明动作发生的次数，构成动量补语。例如：

A complement of frequency, which denotes the number of times an action takes place, is formed by putting after a verb a compound consisting of a numeral and a measure word for action, e.g.

① 他来过一次。　　② 我找过他两次，他都不在。

（2）"一下儿"作动量补语，除了可以表示动作的次数外，也可以表示动作经历的时间短暂，并带有轻松随便的意味。例如：

"一下儿" as a complement of frequency denotes not only the frequency of an action, but also the short duration of that action. Moreover, it usually carries a casual undertone, e.g.

③ 给你们介绍一下儿。　　④ 你帮我拿一下儿。

3. 动词、动词短语、主谓短语等作定语 A verb, verb phrase or subject-predicate phrase as an attributive

动词、动词短语、主谓短语、介词短语作定语时，必须加"的"。例如：

A verb, verb phrase, subject-object phrase or prepositional phrase, if used as an attributive, must take "的", e.g.

① 来的人很多。　　　　② 学习汉语的学生不少。

③ 这是经理给您的信。　　④ 从东京来的飞机下午到。

六 练习 Exercises

1. 用下列动词造句　Make sentences with the following verbs

> 接　　送　　给　　收　　换

2. 给词语选择适当的位置（有的在A在B都行）　Insert the given words into the following sentences at suitable places (some can be at either A or B)

（1）我坐过 A11 路汽车 B。　　　　　　（两次）

（2）她去过 A 上海 B。　　　　　　　　（三次）

（3）动物园我 A 去过 B。　　　　　　　（两次）

（4）我哥哥的孩子吃过 A 烤鸭 B。　　　（一次）

（5）你帮我 A 拿 B。　　　　　　　　　（一下儿）

3. 用"一……也……"改写句子　Rewrite the following sentences with "一……也……"

例 Example 我没休息。（天）➡ 我一天也没休息。

（1）今天我没喝啤酒。（瓶）　　➡ _____

（2）我没去过动物园。（次）　　➡ _____

（3）在北京他没骑过自行车。（次）➡ _____

（4）今天我没带钱。（分）　　　➡ _____

（5）他不认识汉字。（个）　　　➡ _____

4. 按照实际情况回答问题　Answer the following questions according to the actual situations

（1）你来过中国吗？现在是第几次来？

（2）这本书有多少课？这是第几课？

（3）你一天上几节（jié, period）课？现在是第几节课？

（4）你们宿舍楼有几层？你住在几层？

5. 情景会话　Situational dialogues

（1）去机场接朋友。

　　To meet a friend at the airport.

　　提示　问候路上怎么样；告诉他/她现在去哪儿、这几天做什么等。
　　Suggested points　Ask about the trip; Tell him/her where to go now and what to do in the next few days.

（2）去火车站接朋友，火车晚点了。

　　To meet a friend at the railway station, where the train is late.

　　提示　问为什么还没到、什么时候能到等。
　　Suggested points　Ask why it is late and when it will arrive.

6. 听后复述 Listen and retell

　　上星期五我去大同（Dàtóng, *a place in Shanxi Province*）了。我是坐火车去的，今天早上回来的。我第一次去大同。我很喜欢这个地方。

　　从北京到大同很近。坐火车去大概要七个小时（xiǎoshí, hour）。现在去，不冷也不热。下星期你也去吧。

7. 语音练习 Phonetic drills

（1）读下列词语：第四声＋第一声 Read the following words: 4th tone + 1st tone

qìchē	（汽车）	lùyīn	（录音）
dàyī	（大衣）	chàng gē	（唱歌）
diàndēng	（电灯）	dàjiā	（大家）
hùxiāng	（互相）	hòutiān	（后天）

（2）常用音节练习 Drills on the frequently used syllables

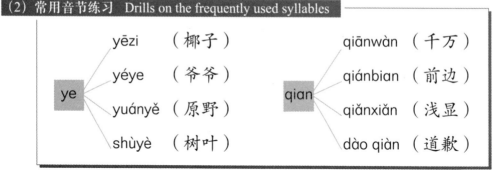

ye	yēzi	（椰子）
	yéye	（爷爷）
	yuányě	（原野）
	shùyè	（树叶）

qian	qiānwàn	（千万）
	qiánbian	（前边）
	qiǎnxiǎn	（浅显）
	dào qiàn	（道歉）

zhāodài
招待
RECEPTION

20 为我们的友谊干杯

LET'S HAVE A TOAST TO OUR FRIENDSHIP

一　句　子　Sentences

133　请这儿坐。Please take a seat here.
Qǐng zhèr zuò.

134　我过得很愉快。I really had a good time.
Wǒ guò de hěn yúkuài.

135　您喜欢喝什么酒？
Nín xǐhuan hē shénme jiǔ?
What kind of wine would you like to drink?

136　为我们的友谊干杯！
Wèi wǒmen de yǒuyì gān bēi!
Let's have a toast to our friendship!

137　这个鱼做得真好吃。The fish is very delicious.
Zhè ge yú zuò de zhēn hǎochī.

138　你们别客气，像在家一样。
Nǐmen bié kèqi, xiàng zài jiā yíyàng.
Please make yourself at home.

139　我做菜做得不好。I am not good at cooking.
Wǒ zuò cài zuò de bù hǎo.

140	你们 慢慢 吃。② Take your time (eating).
	Nǐmen mànmàn chī.

二 会 话 Conversations

1

翻译： 李 先 生，请 这 儿 坐。
Fānyì: Lǐ xiānsheng, qǐng zhèr zuò.

李： 谢谢！
Lǐ: Xièxie!

经理： 这 两 天 过 得 怎 么 样？
Jīnglǐ: Zhè liǎng tiān guò de zěnmeyàng?

李： 过 得 很 愉 快。
Lǐ: Guò de hěn yúkuài.

翻译： 您 喜 欢 喝 什 么 酒？
Fānyì: Nín xǐhuan hē shénme jiǔ?

李： 啤 酒 吧。
Lǐ: Píjiǔ ba.

经理： 您 尝 尝 这 个 菜 怎 么 样。
Jīnglǐ: Nín chángchang zhè ge cài zěnmeyàng.

李： 很 好 吃。
Lǐ: Hěn hǎochī.

经理： 吃 啊， 别 客 气。
Jīnglǐ: Chī a, bié kèqi.

李： 不 客 气。
Lǐ: Bú kèqi.

经理： 来，为我们的友谊干杯！
Jīnglǐ: Lái, wèi wǒmen de yǒuyì gān bēi!

李： 为大家的健康干杯！
Lǐ: Wèi dàjiā de jiànkāng gān bēi!

翻译： 干杯！
Fānyì: Gān bēi!

2

刘京： 我们先喝酒吧。
Liú Jīng: Wǒmen xiān hē jiǔ ba.

李成日： 这个鱼做得真好吃。
Lǐ Chéngrì: Zhè ge yú zuò de zhēn hǎochī.

刘京妈妈： 你们别客气，像在家一样。
Liú Jīng māma: Nǐmen bié kèqi, xiàng zài jiā yíyàng.

李成日： 我们不客气。
Lǐ Chéngrì: Wǒmen bú kèqi.

刘京妈妈： 吃饺子吧。
Liú Jīng māma: Chī jiǎozi ba.

和子： 我最喜欢吃饺子了。
Hézǐ: Wǒ zuì xǐhuan chī jiǎozi le.

刘京： 听 说 你 很 会 做 日 本 菜。
Liú Jīng: Tīngshuō nǐ hěn huì zuò Rìběn cài.

和子： 哪儿啊③，我做得不好。
Hézǐ: Nǎr a, wǒ zuò de bù hǎo.

刘京： 你怎么不吃了？
Liú Jīng: Nǐ zěnme bù chī le?

和子： 吃饱了。你们慢慢吃。
Hézǐ: Chī bǎo le. Nǐmen mànmàn chī.

注释　Notes

❶ **为我们的友谊干杯！**　Let's have a toast to our friendship!

介词"为"用来说明动作的目的，必须放在动词前边。

The preposition "为" should be put before a verb to indicate the purpose of an action.

❷ **你们慢慢吃。**　Take your time (eating).

这是客套话。自己吃完而别人还未吃完，就说"慢慢吃"或"慢用"。

As a polite expression, "慢慢吃" or "慢用" is used when one has finished eating while others have not.

❸ **哪儿啊。**　No.

"哪儿啊"表示否定的意思。常用来回答别人的夸奖，表示自己没有对方说的那么好。

"哪儿啊" is a polite denial here. When used as a reply, it usually denotes that one is not worthy of the praise.

替换与扩展 Substitution and Extension

📍 **替换 Substitution**

（1）**我** 过得很 **愉快**。

我们	生活	好
他	说	快
张先生	休息	不错
大卫	睡	晚

（2）**这个 鱼** 做得真 **好吃**。

件	衣服	洗	干净
张	照片	照	好
辆	汽车	开	快

（3）我做 菜 做得不好。　　▶◀

做	饺子	好吃
写	汉字	好看
翻译	生词	快

📍 扩展 Extension

（1）他 汉 语 说 得 真 好，像 中 国 人 一 样。
Tā Hànyǔ shuō de zhēn hǎo, xiàng Zhōngguó rén yíyàng.

（2）你 说 得 太 快，我 没 听 懂，请 你 说 得 慢
Nǐ shuō de tài kuài, wǒ méi tīng dǒng, qǐng nǐ shuō de màn

一点儿。
yìdiǎnr.

四 生 词 New Words 💿

1	过	guò	动	to spend, to pass
2	得	de	助	*used after a verb or an adjective to introduce a complement of result or state*
3	愉快	yúkuài	形	enjoyable, happy
4	喜欢	xǐhuan	动	to like, to enjoy
5	为……干杯	wèi……gān bēi		to have a toast to
6	友谊	yǒuyì	名	friendship
7	鱼	yú	名	fish
8	好吃	hǎochī	形	delicious
9	像	xiàng	动	to resemble
10	一样	yíyàng	形	same, similar
11	大家	dàjiā	代	everybody, everyone

12	健康	jiànkāng	形	healthy, in good heath
13	饺子	jiǎozi	名	dumpling
14	饱	bǎo	形	full
15	生活	shēnghuó	动/名	to live, to lead a life; life
16	睡	shuì	动	to sleep
17	晚	wǎn	形	late
18	洗	xǐ	动	to wash
19	干净	gānjìng	形	clean
20	照片	zhàopiàn	名	photo
21	辆	liàng	量	*a measure word for vehicles*

五 语法 Grammar

1. 状态补语 The complement of state

（1）表示动作状态的补语，叫状态补语。简单的状态补语一般由形容词充任。动词和状态补语之间要用结构助词"得"来连接。

A complement that indicate the state of an action is called the complement of state. A simple complement of state is usually made up of an adjective. The verb and its complement are connected by the structural particle "得".

① 我们休息得很好。

② 玛丽、大卫他们玩儿得很愉快。

（2）状态补语的否定式是在补语的前边加否定副词"不"。注意："不"不能放在动词的前边。例如：

Its negative form is realized by putting the negative adverb "不" in front of the complement. Take care not to put "不" before the verb, e.g.

③ 他来得不早。　　④ 他生活得不太好。

（3）带状态补语的正反疑问句是并列状态补语的肯定形式和否定形式。例如：

An affirmative-negative question with a complement of state is realized by juxtaposing the affirmative and negative forms of the complement of state, e.g.

⑤ 你休息得好不好？　　⑥ 这个鱼做得好吃不好吃？

2. 状态补语与宾语　The complement of state and the object

动词后边如果带宾语，再有状态补语时，必须在宾语之后、"得"和状态补语之前重复动词。例如：

If a complement of state follows a verb-object construction, the same verb should be repeated after the object and followed by "得" and the complement of state, e.g.

① 他说汉语说得很好。　　② 她做饭做得很不错。

③ 我写汉字写得不太好。

六 练 习　Exercises

1. 熟读下列短语并选择五个造句　Read up on the following expressions and make sentences with five of them

起得很早	走得很快	玩儿得很高兴
生活得很愉快	穿得很多	演得好极了
休息得不太好	来得不晚	写得不太慢

2. 用状态补语完成句子　Complete the following sentences with the complement of state

（1）他洗衣服＿＿＿＿＿＿＿＿＿＿＿。

（2）我姐姐做鱼＿＿＿＿＿＿＿＿＿＿＿。

（3）小王开车 ＿＿＿＿＿＿＿＿＿＿＿＿＿＿＿＿＿＿＿。

（4）他划船 ＿＿＿＿＿＿＿＿＿＿＿＿＿＿＿＿＿＿＿。

3. 完成对话（注意用上带"得"的状态补语） Complete the the following conversations (Be sure to use the complement of state with "得")

（1）A：你喜欢吃鱼吗？这鱼做 ＿＿＿＿＿＿＿＿＿＿＿＿＿＿＿？

   B：＿＿＿＿＿＿＿＿＿＿＿＿＿很好吃。

（2）A：今天的京剧演 ＿＿＿＿＿＿＿＿＿＿＿＿？

   B：＿＿＿＿＿＿＿＿＿＿＿＿很好。

（3）A：昨天晚上你几点睡的？

   B：十二点。

   A：＿＿＿＿＿＿＿＿＿＿＿＿＿。你早上起得也很晚吧？

   B：不，＿＿＿＿＿＿＿＿＿＿＿＿＿。

4. 用"在""给""得""像……一样""跟……一起"填空 Fill in the blanks with "在","给","得","像……一样" or "跟……一起"

 王兰、和子都＿＿＿＿语言大学学习，她们是好朋友，＿＿＿＿姐姐和妹妹＿＿＿＿。上星期我＿＿＿她们＿＿＿去北海公园玩儿。我＿＿＿她们照相，照得很多，都照＿＿＿很好。那天我们玩儿＿＿＿很愉快。

5. 谈谈你的一天（用上带"得"的状态补语） Talk about a day in your life (using the complement of state with "得")

 提示 （1）你什么时候起床？什么时候去教室？什么时候睡觉？早还是晚？

   （2）在这儿学汉语，你学得怎么样？生活得愉快不愉快？

 Suggested points (1) When do you get up? When do you go to the classroom?
      When do you go to bed? Do you go to bed early or late?

      (2) How are you getting on with your study of Chinese?
      Do you enjoy your life here?

6. 听后复述　Listen and retell

　　昨天我和几个小朋友（xiǎopéngyǒu, little children）去划船了。孩子们（men, *used after a personal pronoun or a noun to form a plural*）很喜欢划船，他们划得很好。我坐在船上高兴极了，也像孩子一样玩儿。这一天过得真有意思！

7. 语音练习　Phonetic drills

(1) 读下列词语：第四声+第二声　Read the following words: 4th tone + 2nd tone

bù lái	（不来）	liànxí	（练习）
qùnián	（去年）	fùxí	（复习）
rìchéng	（日程）	wèntí	（问题）
xìngmíng	（姓名）	gào bié	（告别）
sòng xíng	（送行）	kètáng	（课堂）

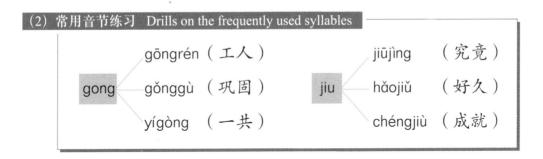

(2) 常用音节练习　Drills on the frequently used syllables

	gōngrén	（工人）	jiūjìng	（究竟）
gong	gǒnggù	（巩固）	jiu　hǎojiǔ	（好久）
	yígòng	（一共）	chéngjiù	（成就）

复习（四）
REVIEW (IV)

一 会话 Conversations

1

〔约翰（Yuēhàn, John）的中国朋友今天从北京来，约翰到机场去接他〕

约翰：啊，小王，路上辛苦了！

王：不辛苦。谢谢你来接我。

约翰：别客气。收到你的信，知道你要来旧金山（Jiùjīnshān, San Francisco），
我高兴极了。

王：我很高兴能见到（jiàn dào, to see）老（lǎo, old）朋友。刘小华（Liú
Xiǎohuá, name of a person）、珍妮（Zhēnnī, Jenny）他们都好吗？

约翰：都很好。他们很忙，今天没时间来接你。

王：我们都是老朋友了，不用客气。

约翰：为了欢迎你来，星期六我们请你在中国饭店吃饭。

王：谢谢！给你们添（tiān, to give）麻烦了。

2

珍妮：小王怎么还没来？

刘：还没到时间。

珍妮：他第一次来旧金山，能找到这儿吗？

约翰：这个饭店很有名，能找到。

刘：啊，你们看，小王来了！

约翰：小王，快来！这儿坐。

珍妮：三年没见（jiàn, to meet），你跟以前一样。

王：是吗？

珍妮：这是菜单（càidān, menu）。小王，你想吃什么？

约翰：我知道，他喜欢吃糖醋鱼（tángcùyú, sweet and sour fish），还有……

王：你们太客气了，我真不好意思。

刘：我们先喝酒吧。

约翰：来，为我们的友谊干杯！

珍妮、刘、王：干杯！

二　语　法　Grammar

（一）句子的四种类型　Four types of sentences

根据谓语主要成分的不同，可以把句子分为四种类型。

Sentences may be divided into four types according to the main elements of their predicates.

1. 名词谓语句　The sentence with a nominal predicate

由名词或名词结构、数量词等直接作谓语的句子叫名词谓语句。例如：

A sentence is called a sentence with a nominal predicate if a noun (noun phrase) or a quantifier serves as the predicate of the sentence, e.g.

> ① 今天星期六。　　　② 他今年二十岁。
>
> ③ 现在两点钟。　　　④ 这本书二十八块五。

2. 动词谓语句　The sentence with a verbal predicate

谓语的主要成分是动词的句子叫动词谓语句。例如：

A sentence is called a sentence with a verbal predicate if the verb is the main element of the predicate, e.g.

> ① 我写汉字。　　　　　② 他想学习汉语。
>
> ③ 他来中国旅行。　　　④ 玛丽和大卫去看电影。

3. 形容词谓语句　The sentence with an adjectival predicate

形容词谓语句用来对人或事物的状态加以描写，有时也说明事物的变化。例如：

A sentence with an adjective predicate describes the state which a person or thing is in, and sometimes the change of a thing, e.g.

> ① 天气热了。　　　　　② 张老师很忙。
>
> ③ 这本汉语书很便宜。

4. 主谓谓语句　The sentence with a subject-predicate construction as its predicate

主谓谓语句中的谓语本身也是一个主谓短语，主要用来说明或者描写主语。例如：

In a sentence of this type, the predicate itself is a subject-predicate phrase, mainly explaining or describing the subject, e.g.

> ① 我爸爸身体很好。　　② 他工作很忙。
>
> ③ 今天天气很不错。

（二）提问的六种方法　Six types of interrogative sentences

1. 用"吗"的疑问句　The question with "吗"

这是最常用的提问方法，对可能的回答不作预先估计。例如：

This is the most frequently used way of asking a question, to which the answer is rather unpredictable, e.g.

> ① 你是学生吗？　　　　② 你喜欢看中国电影吗？
>
> ③ 你有明信片吗？

2. 正反疑问句　The affirmative-negative question

这种疑问句用并列肯定形式和否定形式提问。例如：

This is an interrogative sentence made by juxtaposing the affirmative and the negative forms of the main element of the predicate, e.g.

> ① 你认识不认识他？　　② 你们学校大不大？
>
> ③ 你有没有弟弟？　　　④ 明天你去不去长城？

3. 用疑问代词的疑问句　The question with an interrogative pronoun

用"谁""什么""哪""哪儿""怎么样""多少""几"等疑问代词提问。例如：

An interrogative pronoun such as "谁", "什么", "哪", "哪儿", "怎么样", "多少" or "几" is used to raise a question, e.g.

> ① 谁是你们的老师？　　② 哪本书是你的？
>
> ③ 他身体怎么样？　　　④ 今天星期几？

4. 用"还是"的选择疑问句　The alternative question with "还是"

当提问人估计到有两种答案的时候，就用"还是"构成选择疑问句来提问。例如：

When one predicts that there will be two possible answers to the question he is going to ask, he will use the alternative question with "还是", e.g.

> ① 你上午去还是下午去？　　② 他是美国人还是法国人？
>
> ③ 你去看电影还是去看京剧？

5. 用"呢"的省略式疑问句　The elliptical question with "呢"

> ① 我很好，你呢？　　　　② 大卫看电视，玛丽呢？

6. 用"……，好吗？"提问　The question with "……，好吗？"

这种句子常常用于提出建议，征求对方意见。例如：

A sentence of this type is usually used to put forward a suggestion or ask the opinion of the hearer, e.g.

> 我们明天去，好吗？

三 练习 Exercises

1. 回答问题 Answer the following questions

（1）用带简单趋向补语的句子回答问题 Answer each of the following questions, using a sentence with a simple complement of direction

① 你带来词典了吗？

② 你妈妈寄来信了吗？

③ 昨天下午你出去了吗？

④ 他买来橘子了吗？

（2）按照实际情况回答问题 Answer the following questions according to the actual situations

① 你是从哪儿来中国的？怎么来的？

② 你在哪儿上课？你骑自行车去上课吗？

③ 你常常看电影还是常常看电视？

④ 你们学校中国学生多还是外国留学生多？

⑤ 你去过长城吗？你玩儿得高兴不高兴？你照相了吗？照得怎么样？

2. 用下面的句子练习会话 Make conversations with the sentences given below

（1）感谢 Gratitude

谢谢！

感谢你……

麻烦你了！

（2）迎接 Welcome

欢迎您！

路上辛苦了。

路上顺利吗？

什么时候到的？

（3）招待　Reception

你喜欢什么酒？　　　　很好吃。

别客气，多吃点儿。　　不吃（喝）了。

为……干杯！　　　　　吃饱了。

3. 语音练习　Phonetic drills

（1）声调练习：第四声+第四声　Drills on tones: 4th tone + 4th tone

shàng kè　　（上课）

zài jiàoshì shàngkè　　（在教室上课）

xiànzài zài jiàoshì shàng kè　　（现在在教室上课）

bì yè　　（毕业）

xià ge yuè bì yè　　（下个月毕业）

dàgài xià ge yuè bì yè　　（大概下个月毕业）

（2）朗读会话　Read aloud the conversation

A: Wǒ zuì xǐhuan dàxióngmāo.

B: Wǒ yě xǐhuan dàxióngmāo.

A: Wǒmen qù dòngwùyuán ba.

B: Hǎo jí leí Xiàwǔ jiù qù.

四　阅读短文　Reading Passage

阿里（Ālǐ, name of a person）：

你好！听说你要去北京语言大学学习了，我很高兴。我给你介绍一下儿那个学校。

　　语言大学不太大，有很多留学生，也有中国学生。留学生学习汉语，中国学生学习外语（wàiyǔ, foreign language）。

　　学校里有很多楼。你可以住在留学生宿舍。留学生食堂就在宿舍楼旁边。他们做的饭菜还不错。

　　学校里有个小邮局，那儿可以寄信、买邮票，也可以寄东西。

　　离学校不远有个商店，那儿东西很多，也很便宜。我在语言大学的时候，常去那儿买东西。

　　你知道吗？娜依（Nàyī, name of a person）就在北京大学学习。北大离语言大学很近。你有时间可以去那儿找她。

　　娜依的哥哥毕业了。他上个月从英国回来，现在还没找到工作呢。他问你好。

　　好，不多写了。等你回信。

　　祝（zhù, to wish）你愉快！

你的朋友莎菲（Shāfēi, Sophie）
2015年5月3日

词汇表 VOCABULARY

A			
啊	a	助	17
哎呀	āiyā	叹	15
爱人	àiren	名	7

B			
八	bā	数	2
爸爸	bàba	名	1
吧	ba	助	8
百	bǎi	数	14
半	bàn	数	8
帮	bāng	动	15
饱	bǎo	形	20
杯	bēi	名	13
北边	běibian	名	10
本	běn	量	13
本子	běnzi	名	13
笔	bǐ	名	19
毕业	bì yè		18
别	bié	副	19
别的	bié de		11
宾馆	bīnguǎn	名	9
不错	búcuò	形	15
不用	búyòng	副	19
不	bù	副	3

不好意思	bù hǎoyìsi		19

C			
菜	cài	名	16
操场	cāochǎng	名	10
层	céng	量	9
茶	chá	名	16
差	chà	动	8
长	cháng	形	12
尝	cháng	动	11
常（常）	cháng (cháng)	副	9
超市	chāoshì	名	5
车	chē	名	10
吃	chī	动	8
出	chū	动	15、17
出租车	chūzūchē	名	18
穿	chuān	动	12
船	chuán	名	17
床	chuáng	名	8
词典	cídiǎn	名	16
次	cì	量	19
从	cóng	介	18

D			
打	dǎ	动	8、15
打车	dǎ chē		19

大	dà	形	12	东西	dōngxi	名	6
大概	dàgài	副	18	懂	dǒng	动	13
大家	dàjiā	代	20	动物园	dòngwùyuán	名	17
大熊猫	dàxióngmāo	名	17	都	dōu	副	1
大学	dàxué	名	5	短	duǎn	形	12
大夫	dàifu	名	4	短信	duǎnxìn	名	12
带	dài	动	14	对	duì	形/介/动	9
当然	dāngrán	副	16	多	duō	形	11
到	dào	动	13	多少	duōshao	代	9
的	de	助	5	**E**			
得	de	助	20	二	èr	数	2
等	děng	动	14	**F**			
地方	dìfang	名	10	发	fā	动	11
地铁	dìtiě	名	17	翻译	fānyì	名/动	19
地图	dìtú	名	13	饭	fàn	名	8
弟弟	dìdi	名	3	饭店	fàndiàn	名	14
第	dì	头	19	房间	fángjiān	名	9
点	diǎn	量	8	飞机	fēijī	名	18
电	diàn	名	15	费	fèi	名/动	15
电话	diànhuà	名	14	分	fēn	量	8
电脑	diànnǎo	名	7	分钟	fēnzhōng	名	19
电视	diànshì	名	6	服务员	fúwùyuán	名	18
电影	diànyǐng	名	6	**G**			
电子邮件	diànzǐ yóujiàn		11	干净	gānjìng	形	20
东边	dōngbian	名	10	感谢	gǎnxiè	动	18

高兴	gāoxìng	形	4	好看	hǎokàn	形	15
告诉	gàosu	动	16	号	hào	量	9
哥哥	gēge	名	3	号（日）	hào (rì)	量	2
个	gè	量	4	号码	hàomǎ	名	14
给	gěi	动/介	13	喝	hē	动	11
跟	gēn	介	17	和	hé	连	7
工作	gōngzuò	动/名	3	很	hěn	副	1
公共汽车	gōnggòng qìchē		10	护士	hùshi	名	7
公司	gōngsī	名	18	花	huā	动	14
公园	gōngyuán	名	9	花（儿）	huā (r)	名	8
关机	guān jī		15	划	huá	动	17
贵	guì	形	11	欢迎	huānyíng	动	9
贵姓	guìxìng	名	4	换	huàn	动	13
国	guó	名	13	回	huí	动	5
过	guò	动	20	会	huì	能愿/动	13
过	guo	助	16	火车	huǒchē	名	18

H				**J**			
还	hái	副	11	机场	jīchǎng	名	17
还是	háishi	连	17	……极了	……jí le		12
孩子	háizi	名	7	几	jǐ	数	6
韩语	Hányǔ	名	7	寄	jì	动	19
汉语	Hànyǔ	名	7	家	jiā	名	5
汉字	Hànzì	名	14	价钱	jiàqian	名	16
好	hǎo	形	1	件	jiàn	量	12
好吃	hǎochī	形	20	健康	jiànkāng	形	20

交	jiāo	动	15		考试	kǎoshì	动/名	17
饺子	jiǎozi	名	20		烤鸭	kǎoyā	名	16
叫	jiào	动	4		可以	kěyǐ	能愿	12
教室	jiàoshì	名	5		刻	kè	量	8
接	jiē	动	17		客气	kèqi	形	19
结婚	jié hūn		7		口	kǒu	量	7
姐姐	jiějie	名	3		块（元）	kuài (yuán)	量	11
介绍	jièshào	动	5		快	kuài	形	14
斤	jīn	量	11		**L**			
今年	jīnnián	名	3		来	lái	动	1
今天	jīntiān	名	2		老师	lǎoshī	名	2
进	jìn	动	5		了	le	助	7
近	jìn	形	10		累	lèi	形	3
京剧	jīngjù	名	16		冷	lěng	形	12
经理	jīnglǐ	名	19		离	lí	动	10
九	jiǔ	数	2		里	li	名	14
酒	jiǔ	名	16		练习	liànxí	名/动	16
酒吧	jiǔbā	名	5		两	liǎng	数	7
就	jiù	副	10		辆	liàng	量	20
橘子	júzi	名	11		〇（零）	líng	数	3
句	jù	量	19		留学生	liúxuéshēng	名	4
K					六	liù	数	2
咖啡	kāfēi	名	16		楼	lóu	名	9
开	kāi	动	18		录音	lùyīn	名	11
看	kàn	动	5		路	lù	名	9、13

M			
妈妈	māma	名	1
麻烦	máfan	动/形/名	19
吗	ma	助	1
买	mǎi	动	6
慢	màn	形	19
忙	máng	形	3
毛（角）	máo (jiǎo)	量	11
毛衣	máoyī	名	12
贸易	màoyì	名	18
没	méi	副	7
美元	měiyuán	名	14
妹妹	mèimei	名	3
名菜	míng cài		16
名字	míngzi	名	4
明年	míngnián	名	3
明天	míngtiān	名	3
明信片	míngxìnpiàn	名	15
N			
拿	ná	动	15
哪	nǎ	代	13
哪儿	nǎr	代	5
那	nà	代	4
那儿	nàr	代	10
南边	nánbian	名	10

呢	ne	助	3
能	néng	能愿	14
你	nǐ	代	1
你好	nǐ hǎo		1
你们	nǐmen	代	1
年	nián	名	3
念	niàn	动	14
您	nín	代	2
P			
旁边	pángbiān	名	9
朋友	péngyou	名	4
啤酒	píjiǔ	名	18
便宜	piányi	形	11
票	piào	名	13
苹果	píngguǒ	名	11
瓶	píng	名	11
Q			
七	qī	数	2
骑	qí	动	17
起	qǐ	动	8
起飞	qǐfēi	动	18
前	qián	名	10
前边	qiánbian	名	10
钱	qián	名	11
请	qǐng	动	5

请问	qǐngwèn	动	10	时候	shíhou	名	8
去	qù	动	5	时间	shíjiān	名	14
去年	qùnián	名	17	食堂	shítáng	名	8
	R			事	shì	名	16
热	rè	形	19	试	shì	动	12
人	rén	名	4	是	shì	动	4
人民币	rénmínbì	名	14	收	shōu	动	16
认识	rènshi	动	4	手机	shǒujī	名	7
日语	Rìyǔ	名	7	售货员	shòuhuòyuán	名	11
	S			售票员	shòupiàoyuán	名	13
三	sān	数	2	书	shū	名	6
商店	shāngdiàn	名	5	书店	shūdiàn	名	6
上	shàng	名	17	数	shǔ	动	14
上（车）	shàng (chē)		13	数	shù	名	14
上课	shàng kè		7	水	shuǐ	名	8
上网	shàng wǎng		7	睡	shuì	动	20
上午	shàngwǔ	名	6	睡觉	shuì jiào		8
少	shǎo	形	12	顺利	shùnlì	形	19
谁	shéi/shuí	代	5	说	shuō	动	13
身体	shēntǐ	名	2	四	sì	数	2
什么	shénme	代	4	送	sòng	动	19
生词	shēngcí	名	12	宿舍	sùshè	名	5
生活	shēnghuó	动/名	20	岁	suì	量	6
生日	shēngrì	名	6		**T**		
十	shí	数	2	他	tā	代	1

他们	tāmen	代	1
她	tā	代	1
太	tài	副	3
套	tào	量	15
天	tiān	名	12
天气	tiānqì	名	17
挑	tiāo	动	15
条	tiáo	量	17
听	tīng	动	5
听说	tīngshuō	动	14
通	tōng	动	15

W			
外边	wàibian	名	19
完	wán	动	15
玩儿	wánr	动	9
晚	wǎn	形	20
晚点	wǎn diǎn		18
晚上	wǎnshang	名	6
网	wǎng	名	7
网球	wǎngqiú	名	8
往	wǎng	介/动	10
为……干杯	wèi…… gān bēi		20
为什么	wèi shénme		18
问	wèn	动	9

我	wǒ	代	1
我们	wǒmen	代	1
五	wǔ	数	2

X			
西边	xībian	名	10
洗	xǐ	动	20
喜欢	xǐhuan	动	20
下	xià	名	17
下（车）	xià (chē)	动	13
下课	xià kè		7
下午	xiàwǔ	名	6
先	xiān	副	18
先生	xiānsheng	名	19
现在	xiànzài	名	8
想	xiǎng	动/能愿	12
像	xiàng	动	20
小	xiǎo	形	12
小姐	xiǎojiě	名	12
写	xiě	动	6
谢谢	xièxie	动	2
辛苦	xīnkǔ	形	18
新	xīn	形	15
信	xìn	名	6
星期	xīngqī	名	6

星期天（星期日）	xīngqītiān (xīngqīrì)	名	6
行	xíng	动/形	16
姓	xìng	动/名	4
休息	xiūxi	动	5
学	xué	动	17
学生	xuésheng	名	4
学习	xuéxí	动	7
学校	xuéxiào	名	9

Y

演	yǎn	动	16
要	yào	动/能愿	11
要……了	yào……le		18
也	yě	副	1
一	yī	数	2
衣服	yīfu	名	12
一下儿	yíxiàr	数量	5
一样	yíyàng	形	20
以后	yǐhòu	名	16
以前	yǐqián	名	19
一点儿	yìdiǎnr	数量	13
一会儿	yìhuǐr/yíhuìr	数量	18
一起	yìqǐ	副	9
音乐	yīnyuè	名	6
银行	yínháng	名	7

饮料	yǐnliào	名	18
应该	yīnggāi	能愿	16
英语	Yīngyǔ	名	7
营业员	yíngyèyuán	名	14
邮局	yóujú	名	9
邮票	yóupiào	名	9
友谊	yǒuyì	名	20
有	yǒu	动	7
有意思	yǒu yìsi		16
鱼	yú	名	20
愉快	yúkuài	形	20
远	yuǎn	形	10
月	yuè	名	3

Z

杂技	zájì	名	16
再	zài	副	12
再见	zàijiàn	动	2
在	zài	动/介	5
早	zǎo	形	2
早饭	zǎofàn	名	8
早上	zǎoshang	名	8
怎么	zěnme	代	10
怎么样	zěnmeyàng	代	12
站	zhàn	名	13
张	zhāng	量	13

找	zhǎo	动	13、15
照	zhào	动	15
照片	zhàopiàn	名	20
照相	zhào xiàng		15
照相机	zhàoxiàngjī	名	15
这	zhè	代	4
这儿	zhèr	代	10
这样	zhèyàng	代	14
真	zhēn	形/副	15
知道	zhīdào	动	9

职员	zhíyuán	名	7
种	zhǒng	量	11
住	zhù	动	9
自行车	zìxíngchē	名	17
走	zǒu	动	10
最	zuì	副	17
昨天	zuótiān	名	6
坐	zuò	动	10
做	zuò	动	6

专有名词 PROPER NOUNS

百货大楼	Bǎihuò Dàlóu	10
北海公园	Běihǎi Gōngyuán	17
北京	Běijīng	9
北京大学	Běijīng Dàxué	5
北京饭店	Běijīng Fàndiàn	9
北京师范大学	Běijīng Shīfàn Dàxué	13
北京语言大学	Běijīng Yǔyán Dàxué	7
长城	Chángchéng	8
大卫	Dàwèi	1
东京	Dōngjīng	15

法国	Fǎguó	13
韩国	Hánguó	13
（可口）可乐	(Kěkǒu-) kělè	11
李	Lǐ	2
李成日	Lǐ Chéngrì	17
刘京	Liú Jīng	1
玛丽	Mǎlì	1
美国	Měiguó	4
清华大学	Qīnghuá Dàxué	9
人民剧场	Rénmín Jùchǎng	16

日本	Rìběn	13	小英	Xiǎoyīng	5
山下和子	Shānxià Hézǐ	5	学院路	Xuéyuàn Lù	9
上海	Shànghǎi	9	印度尼西亚	Yìndùníxīyà	13
天安门	Tiān'ānmén	10	英国	Yīngguó	13
王	Wáng	2	张	Zhāng	2
王府井	Wángfǔjǐng	10	张丽英	Zhāng Lìyīng	6
王兰	Wáng Lán	1	中国	Zhōngguó	13
王林	Wáng Lín	5			